Guido Molinari

Guido Molinari

par Pierre Théberge
Administrateur de la conservation et
Conservateur intérimaire
de l'art canadien contemporain

By Pierre Théberge
Curatorial Administrator and
Acting Curator of
Contemporary Canadian Art

Galerie nationale du Canada
Un des Musées nationaux du Canada
Ottawa 1976

The National Gallery of Canada
A National Museum of Canada
Ottawa 1976

Itinéraire
Galerie nationale du Canada, Ottawa
Musée des beaux-arts de Montréal
Art Gallery of Ontario, Toronto
The Vancouver Art Gallery, Vancouver

Itinerary
The National Gallery of Canada, Ottawa
Montreal Museum of Fine Arts, Montreal
Art Gallery of Ontario, Toronto
The Vancouver Art Gallery, Vancouver

Couverture: Molinari devant son atelier de la rue Gilford à Montréal en 1953. Photographe inconnu.

Cover: Molinari in front of his studio on Gilford Street, Montreal, 1953. Photographer unknown.

ISBN: 0-88884-307-0

IMPRIMÉ AU CANADA

Diffusé par les Musées nationaux du Canada
Division du Marketing
Ottawa, Canada K1A 0M8

ISBN: 0-88884-307-0
PRINTED IN CANADA

Obtainable from: National Museums of Canada
Marketing Services Division
Ottawa, Canada K1A 0M8

Table

Contents

Préface

La Galerie nationale du Canada, par cette exposition, veut témoigner de son intérêt pour Guido Molinari, un artiste canadien. Elle a déjà présenté de ses œuvres au Canada et à l'étranger, et, en particulier, en 1968, parallèlement avec celles d'Ulysse Comtois, à la Biennale de Venise où Molinari se vit décerner le prix David F. Bright. Depuis 1963, sa production enrichit notre collection permanente. Il nous semble maintenant approprié de faire le point de sa carrière par cette rétrospective. M. Pierre Théberge, administrateur de la conservation et conservateur de l'art canadien contemporain, a fait le choix des œuvres et rédigé le texte du catalogue.

La directrice
Jean Sutherland Boggs

Preface

This exhibition is an expression of the interest of the National Gallery of Canada in a particular Canadian artist, Guido Molinari. The Gallery has shown his work in Canada and abroad, including (with Ulysse Comtois) the 1968 Venice Biennale where Molinari won the David F. Bright prize. We have bought his works for the permanent collection since 1963. It seems appropriate now to review his career in a retrospective exhibition and in this catalogue. The exhibition has been chosen and the catalogue written by Pierre Théberge, Curatorial Administrator and Acting Curator of Contemporary Canadian Art.

Jean Sutherland Boggs
Director

Prêteurs

John C. Parkin, Toronto
Collections particulières

Galerie nationale du Canada, Ottawa
Hart House, University of Toronto
Le Musée d'Art Contemporain, Montréal
The Museum of Modern Art, New York
The Vancouver Art Gallery

Lenders

John C. Parkin, Toronto
Private collections

Hart House, University of Toronto
Le Musée d'Art Contemporain, Montreal
The Museum of Modern Art, New York
The National Gallery of Canada, Ottawa
The Vancouver Art Gallery

Remerciements

Outre les prêteurs et l'artiste qui nous ont offert leur collaboration la plus patiente et la plus généreuse lors de l'organisation de l'exposition et de la rédaction du catalogue, les personnes suivantes ont, avec une grande bienveillance, aussi fourni des renseignements qui nous ont été très utiles: Donald F. P. Andrus, université Concordia, Montréal; Michel Giroux, Galerie Jolliet, Québec; William Kirby, Winnipeg Art Gallery, Winnipeg; Carmen Lamanna, Galerie Carmen Lamanna, Toronto; Gérard Lavallée, Galerie Nova et Vetera, Ville Saint-Laurent, Montréal; Germain Lefebvre, Musée des beaux-arts de Montréal; Kevin Lucas, atelier de Guido Molinari, Montréal; Paulette McCann, Norman Mackenzie Art Gallery, Regina; André Marchand, ministère des Affaires culturelles de la province de Québec; Isabelle Montplaisir, Musée d'Art Contemporain, Montréal; Jerrold Morris, Galerie Jerrold Morris, Toronto; Zoe Notkin, Galerie 1640, Montréal; Fernande Saint-Martin, Musée d'Art Contemporain, Montréal; Marian Scott, artiste de Montréal; Christopher Youngs, Owens Art Gallery, Sackville (N.-B.); et Gunter Wyszecki, Conseil national de recherches du Canada, Ottawa.

L'administrateur de la conservation et
le conservateur intérimaire de l'art canadien contemporain
Pierre Théberge

Acknowledgements

In addition to the lenders and the artist, who cooperated most patiently and most generously in the organization of the exhibition and the preparation of the catalogue, the following people very kindly supplied invaluable information: Donald F. P. Andrus of Concordia University, Montreal; Michel Giroux of the Galerie Jolliet, Quebec City; William Kirby of the Winnipeg Art Gallery, Winnipeg; Carmen Lamanna of the Carmen Lamanna Gallery, Toronto; Gérard Lavallée of the Galerie Nova et Vetera, Ville Saint-Laurent, Montreal; Germain Lefebvre of the Montreal Museum of Fine Arts, Montreal; Kevin Lucas of the Guido Molinari studio, Montreal; Paulette McCann of the Norman Mackenzie Art Gallery, Regina; André Marchand, Ministry of Cultural Affairs of the Province of Quebec; Isabelle Montplaisir of the Musée d'Art Contemporain, Montreal; Jerrold Morris of the Jerrold Morris Gallery, Toronto; Zoe Notkin of the Galerie 1640, Montreal; Fernande Saint-Martin of the Musée d'Art Contemporain, Montreal; Marian Scott, Montreal; Christopher Youngs of the Owens Art Gallery, Sackville, New Brunswick; and Gunter Wyszecki of The National Research Council, Ottawa.

Pierre Théberge
Curatorial Administrator and
Acting Curator of Contemporary Canadian Art

Guido Molinari

Si l'homme choisit pour projet absolu l'authenticité, qui est le respect de sa morale ainsi je devrai choisir pour projet absolu d'unir les éléments sensibles rationnels de mon «Il» et de m'en servir comme instrument pour atteindre l'absolu d'authenticité et de créer l'œuvre qui justifierait l'énergie dépensée et tout en vivant je pourrai vivre conscient de la vérité de mon accomplissement et atteindre l'absolu en mourant et en considérant mon œuvre qui aurait été celle d'avoir osé être homme pour qui l'absolu était d'être authentique.

Guido Molinari, *Projet but absolu*
(octobre 1952, manuscrit inédit)

Exactement un an avant la rédaction de ce texte poétique d'auto-définition, Molinari, par un geste de contestation radicale de la notion même de peinture, peignait à la noirceur, dans son atelier de la rue Mentana, des tableaux comme *Émergence II* (cat. n° 1), ou d'autres, les yeux bandés, à l'École d'art du Musée des beaux-arts de Montréal. Ces huit ou dix tableaux représentaient l'abandon momentané par l'artiste, encore étudiant, d'une recherche d'expression à travers des schémas plastiques hérités d'artistes figuratifs (fig. 1).

Dans le contexte plus large du milieu artistique montréalais, ces tableaux représentaient sûrement une forme de contestation à l'égard des automatistes qui avaient, selon Molinari, fait une trop grande place au jugement rationnel dans l'exécution de leur peinture. En peignant dans le noir ou en se bandant les yeux, Molinari voulait démontrer qu'une peinture ne pouvait être véritablement automatique que si elle correspondait physiquement aux gestes du peintre sans que celui-ci puisse les juger selon des critères traditionnels appartenant à la perception visuelle ordinaire. En cela, Molinari se rapprochait des conceptions des surréalistes européens sur l'écriture automatique qu'il pratiquait déjà alors.

A l'automne de 1951, Molinari s'était inscrit comme étudiant régulier à l'École d'art du Musée des beaux-arts de Montréal

If man chooses authenticity as his absolute goal, which amounts to self-respect, then I must choose as my ultimate goal the unity of the emotional and rational elements of my being, and to use them as an instrument to attain the ultimate in authenticity, and to create a body of works which justify the energy spent, and while alive I will live aware of the truth of my accomplishment, and in death will attain the absolute, considering that my work will have been daring to be a man for whom the absolute was to be authentic.

Guido Molinari, "Projet but absolu," October 1952
(Unpublished manuscript)

Exactly a year before he wrote this poetic self-definition, Molinari, in a gesture of radical protest against the very notion of painting, produced canvases such as *Émergence II* 1951 (cat. no. 1) in his studio on rue Mentana, Montreal, by painting in darkness, and others, at the School of Art and Design of the Montreal Museum of Fine Arts, by painting blindfolded. These paintings, eight or ten in all, represent the artist's temporary abandonment of the search for expression through formal devices inherited from figurative artists (fig. 1).

In the larger context of the Montreal artistic milieu, these paintings certainly represented a form of protest against the Automatists who, according to Molinari, gave too much weight to rational judgement in their painting. By painting in darkness or with his eyes blindfolded, Molinari wanted to show that a painting could only be truly automatic if it corresponded physically to the painter's movements made without judgement according to traditional criteria associated with usual visual perception. This view was close to the concepts of European Surrealists on automatic writing, which Molinari was also practising at that time.

In the fall of 1951, Molinari had recently enrolled as a full-time student at the School of Art and Design of the Montreal Museum of Fine Arts, after taking an extension course in May

après avoir suivi, en mai et juin, des «cours d'extension» donnés par Marian Scott. Il y demeura jusqu'à la fin du deuxième semestre de 1952 et ses autres professeurs furent Louis Archambault, Eldon Grier, Moe Reinblatt et Gordon Webber. De 1948 à 1951, alors même qu'il était élève à l'école secondaire Saint-Stanislas de Montréal, Molinari avait suivi les cours du soir de l'École des Beaux-Arts de Montréal où Umberto Bruni, Suzanne Duquet, Jacques de Tonnancour lui enseignèrent. Il avait essayé de suivre, en septembre 1951, les cours réguliers de celle-ci, mais il n'y était resté que trois jours, découvrant qu'il en tirait le même enseignement qu'aux cours du soir suivis auparavant.

Le milieu familial de Guido Molinari, né le 12 octobre 1933, avait été plutôt favorable à l'éclosion de son talent artistique: son père, Charles (1879–1948), était musicien pour l'Orchestre Symphonique de Montréal et sa mère, née Evelyne Dini (1889–1966), était la fille d'un artisan qui avait été mouleur de statues religieuses en plâtre.

De façon plus immédiate, Molinari avait eu ses premiers contacts avec la peinture grâce aux visites fréquentes du peintre Léopold Dufresne, l'ami de sa sœur aînée et de son mari Lucien Riel. Il leur avait d'ailleurs donné, en cadeau de noces, un de ses tableaux qui était accroché, avec d'autres de ses œuvres, dans la maison familiale sise rue Sainte-Élisabeth. Ami de Borduas, il avait déjà eu un atelier chez les Molinari, avant même la naissance de Guido.

Encouragé par Lucien Riel, Molinari fréquentait déjà, en 1944–1945, la Galerie Dominion, alors une galerie d'avant-garde où avaient exposé, entre autres, Emily Carr, Borduas et Alfred Pellan. C'est un peu plus tard qu'il découvrit le Musée des beaux-arts de Montréal où il s'intéressa vivement à l'œuvre du peintre James Wilson Morrice dont l'homogénéité et la continuité stylistique lui semblaient tout à fait remarquables.

Il n'est pas surprenant que Molinari commença à peindre dès 1947 (il a 13 ans), en faisant une nature morte (fig. 2) pour sa

Figure 1
Nu sur un banc 1951
Huile sur masonite, 75,5 x 55,3 cm (29-3/4 x 21-3/4 po)
COLLECTION PARTICULIÈRE

Figure 1
Nude on a Bench 1951
Oil on masonite, 75.5 x 55.3 cm (29-3/4 x 21-3/4 in.)
PRIVATE COLLECTION

Figure 2
Les fruits 1947
Huile sur toile cartonnée, 25,5 x 30,5 cm (10 x 12 po)
COLLECTION PARTICULIÈRE

Figure 2
Fruit 1947
Oil on canvas on board, 25.5 x 30.5 cm (10 x 12 in.)
PRIVATE COLLECTION

and June given by the painter Marian Scott. He stayed there until the end of the second semester in 1952: his other teachers were Louis Archambault, Eldon Grier, Moe Reinblatt, and Gordon Webber. Earlier, from 1948 to 1951, Molinari, while still a student at Saint Stanislas secondary school in Montreal, had attended evening courses at the École des Beaux-Arts of Montreal, where he was taught by Umberto Bruni, Suzanne Duquet, and Jacques de Tonnancour. In September 1951 he wanted to take full-time courses there, but discovered that the course content was the same as in the evening courses he had been taking, and stayed only three days.

Molinari, born 12 October 1933, grew up in family surroundings favourable to the blossoming of his artistic talent: his father Charles (1879–1948) was a musician with the Montreal Symphony Orchestra, and his mother Evelyne Dini (1889–1966), the daughter of a craftsman who cast plaster religious statues.

In a more immediate way, Molinari had his first contacts with painting through frequent visits of the painter Léopold Dufresne, a friend of Guido's older sister and her husband Lucien Riel. Dufresne had given the couple one of his paintings as a wedding present; this painting, and other of his works, hung in the family house on Saint Elizabeth Street. Dufresne was a friend of Paul-Émile Borduas, and before Guido was born, had had a studio in the Molinari house. In 1944–1945, Molinari, encouraged by Lucien Riel, started visiting the Dominion Gallery, then an avant-garde gallery exhibiting (among other artists) Emily Carr, Borduas, and Alfred Pellan. A little later Molinari discovered the Montreal Museum of Fine Arts, where he took a keen interest in the work of James Wilson Morrice, which seemed to him quite remarkable in its homogeneity and its stylistic continuity.

It is no surprise that Molinari began painting in 1947 (he was then 13) with a still life (fig. 2), which he gave to his godmother. Also, in 1947, he entered a *Photo-Journal* contest,[1] and his landscape won a first prize (fig. 3).

marraine et de participer à un concours de peinture que *Photo-Journal*[1] organisa. Sa contribution, un paysage, lui remporta un premier prix (fig. 3).

Alors qu'il était élève, Molinari avait commencé à fréquenter les milieux artistiques d'avant-garde et y avait rapidement acquis une réputation de peintre et de poète excentrique. Claude Gauvreau (1925–1971), le porte-parole le plus actif des automatistes, avait alors une grande admiration pour la personnalité et les talents littéraires de Molinari, comme en témoignent ces lignes enthousiastes:

En 1953, à Montréal, j'ai vu de mes propres yeux Guido Molinari, poète et peintre canadien, se rendre coupable du même héroïsme [qu'Alfred Jarry]. *Fréquemment, ce jeune Cyrano endosse une redingote fabuleuse et magnifiquement ridicule; puis ayant grimpé simiesquement sur une haute table, il y découvre une chaise naine; enfin, assis sur la chaise, tout juste appropriée à la stature d'un enfant d'un an, Molinari lit, devant un auditoire inégal, des poèmes mélancoliques et tendres qu'il a écrits.*

Que veut Molinari? Molinari est-il fou?

Non. Tout simplement: Guido (ou Guidon) est un prophète magnanime de la liberté.

Il veut et désire – comme tous les artistes authentiques de notre pays – que la province de Québec ne soit plus une caricature de monastère spartiate! Il veut et désire que tous les cerveaux inventifs, chez nous, puissent œuvrer dans un climat chaleureux et réceptif.

Comme Raspoutine, mystique, espion de l'Allemagne, organisa-

1. *Photo-Journal*, 9 octobre 1947, p. 26. L'œuvre de Molinari fut reproduite, accompagnée de la légende qui suit: «Notre premier prix—Ce paysage d'une facture très moderne de Guy Molinari, 13 ans, de Montréal, est une peinture à l'huile où dominent les tons chauds: violet, orange, carmin, vert et bleu, que la photographie ne peut malheureusement pas mettre en valeur. Nous le félicitons de son beau tableau et l'encourageons à travailler courageusement afin de devenir plus tard un grand peintre canadien.»

As a high school student, Molinari began to frequent avant-garde artistic circles and rapidly acquired a reputation as an eccentric painter and poet. Claude Gauvreau (1925–1971), the most active spokesman of the Automatists, greatly admired Molinari's personality and literary talents, as evident in these enthusiastic comments:

In Montreal in 1953, with my own eyes, I saw Guido Molinari, Canadian painter and poet, fall guilty of the same heroism [as *Alfred Jarry*]. *This young Cyrano would frequently put on an incredible and magnificently ridiculous frockcoat, then clamber ape-like onto a high table. Finding a kiddie chair, just big enough for a one-year-old child, he would sit down on this chair and read to an audience (of varied enthusiasm) the melancholy, tender poems he had written.*

What does Molinari want? Is Molinari a madman?

No. Very simply, Guido (or Guidon) is a noble prophet of freedom.

Like all authentic artists in our country, he fervently wishes the province of Quebec to cease being a caricature of a spartan monastery! He fervently wishes that all of our creative minds will be able to work in a warm, receptive climate.

Like Rasputin, mystic, German spy, first rate organizer of orgies, high class hypnotist, and corrupter of Czarism; like Arthur Cravan, French poet and British heavyweight boxer; like Éluard, Surrealist man of letters and political dilettante: Molinari is a prophet of freedom and intellectual fertility.[2]

In May 1953, at the exhibition *La Place des Artistes*, Molinari

1. *Photo-Journal* (Montreal), 9 October 1947, p. 26. The *Photo-Journal* published a photograph of Molinari's painting; the caption read: "Our First Prize – this stylistically very modern landscape by Guy Molinari, 13 years old, is an oil painting dominated by warm colours: violet, orange, carmin, green, and blue, which unhappily the photograph cannot do justice to. We congratulate him for his beautiful painting and encourage him to work towards becoming a great Canadian painter."
2. *Le Haut-Parleur*, 15 August 1953.

Figure 3
Paysage 1947
Huile sur carton, 23,9 x 30,5 cm (9-3/8 x 12 po)
COLLECTION PARTICULIÈRE

Figure 3
Landscape 1947
Oil on cardboard, 23.9 x 30.5 cm (9-3/8 x 12 in.)
PRIVATE COLLECTION

presented his poems along with paintings and a sculpture. This exhibition, the first in which Molinari took part, was organized by Marcelle Ferron, Fernand Leduc, and Robert Roussil, and was held in a building on Saint Catherine Street West, right beside the Gayety burlesque theatre (now the Théâtre du Nouveau Monde). In addition to the 359 works exhibited by some 70 painters and sculptors, the work of about twenty young poets was presented.[3] The three paintings Molinari exhibited conveyed his early convictions on the formal values of the two-dimensional quality of the surface (fig. 4).

Rodolphe de Repentigy (1926–1959), who was at that time the most intelligent art critic and most sympathetic to the experimentation of Montreal artists, underlined Molinari's presence at the exhibition: "Among the sculptures, a strange work, a whirlpool of bamboo and copper sheets, by Molinari, a Canadian *Mouloudji* so to speak, for this young artist is exhibiting at the same time boldly coloured paintings, Surrealist epic poems, and to complete the resemblance, a song without words."[4] This sculpture of Molinari's (fig. 5) revealed his intuition of the possibilities of sculpture open in structure rather than defined by mass and enclosed volumes.

During the months following the *La Place des Artistes* exhibition, Molinari produced a long series of small oil paintings, systematically juxtaposing dabs of bright colours (fig. 6). He did not exhibit these paintings, but they led, in 1954 and 1955, to larger, quite structured Tachist paintings such as *Juxtaposition*

3. As the exhibition was to be an encyclopedic one, it included the early Automatists such as Paul-Émile Borduas, Marcel Barbeau, Fernand Leduc, Jean-Paul Mousseau, and Pierre Gauvreau; independents like Goodridge Roberts, Louis Muhlstock, Rita Briansky, Stanley Cosgrove, Frederick B. Taylor, Marian Scott, and Léon Bellefleur; and artists who were as little known as Molinari at the time – Albert Roussil, Anne Kahane, Suzanne Bergeron, and Jean McEwen. Even Edith Bouchard, the primitive artist from Baie-Saint-Paul, was among those participating.
4. *La Presse* (Montreal), 2 May 1953. Moloudji was a French writer and composer-singer well known in the late 1940s – 1950s.

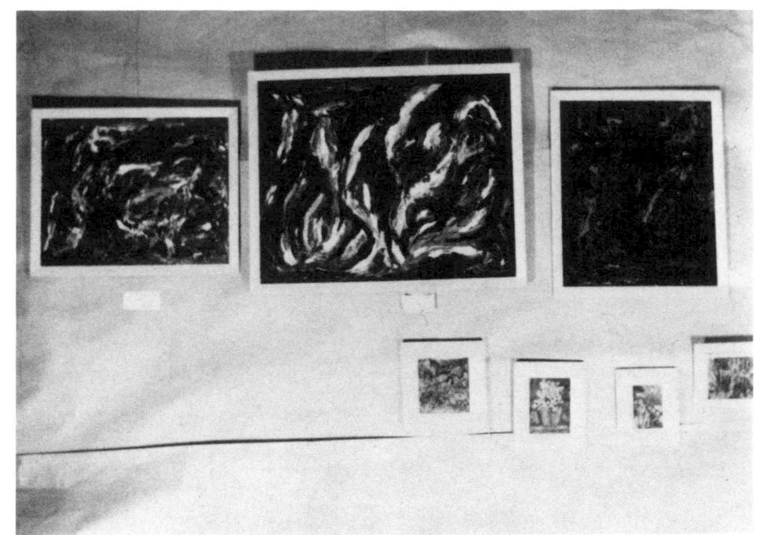

Figure 4
Sur la rangée du haut, trois tableaux de Molinari à l'exposition *La Place des Artistes* en 1953: à l'extrême droite, une *Nature morte* 1952, huile sur masonite, 61 x 50,8 cm (24 x 20 po), collection particulière. Sur la rangée du bas, des tableaux de Marcel Harvey

Figure 4
On the top row, three paintings by Molinari at the exhibition *La Place des Artistes* in 1953. At the extreme right, *Still-Life* 1952, oil on masonite, 61 x 50.8 cm (24 x 20 in.), private collection. On the bottom row, paintings by Marcel Harvey

teur de partouzes, hypnotiste de grande classe et corrupteur du tzarisme, comme Arthur Cravan, poète français et boxeur poids-lourd britannique, comme Éluard, littérateur surréaliste et faux homme politique: Molinari est un prophète de la liberté et de la fertilité mentale[2].

En mai 1953, à l'exposition *La Place des Artistes*, Molinari, en plus de tableaux et d'une sculpture, avait présenté des poèmes. C'était sa première participation à une exposition, laquelle avait été organisée par Marcelle Ferron, Fernand Leduc et Robert Roussil, et qui avait eu lieu dans un édifice situé rue Ste-Catherine ouest, tout à côté du théâtre de burlesque le Gayety (aujourd'hui le Théâtre du Nouveau Monde). Outre les 359 œuvres présentées par quelque soixante-dix peintres et sculpteurs, l'exposition comprenait aussi des textes d'une vingtaine de jeunes poètes[3].

Molinari y présentait trois tableaux qui véhiculaient déjà ses convictions plastiques sur les qualités bidimensionnelles de surface (fig. 4).

Rodolphe de Repentigny (1926–1959), qui était déjà le plus intelligent des critiques et le plus sympathique à l'expérimentation chez les artistes montréalais, souligna ainsi la présence de Molinari: «Parmi les sculptures, une œuvre étrange, un tourbillon de bambou et feuilles de cuivre, de Molinari, un «Mouloudji» canadien, pourrait-on dire, car ce jeune artiste expose également des tableaux, d'un coloris audacieux, des poèmes,

2. *Le Haut-Parleur*, 15 août 1953.
3. Comme l'exposition se voulait encyclopédique, y participèrent des automatistes de la première heure comme Paul-Émile Borduas, Marcel Barbeau, Fernand Leduc, Jean-Paul Mousseau et Pierre Gauvreau, des indépendants comme Goodridge Roberts, Louis Muhlstock, Rita Briansky, Stanley Cosgrove, Frederick B. Taylor, Marian Scott et Léon Bellefleur, et des artistes alors aussi peu connus que Molinari à l'époque, tels, Albert Roussil, Anne Kahane, Suzanne Bergeron, et Jean McEwen. Edith Bouchard, l'artiste naïve de Baie-St-Paul, était même parmi les participants.

épopées surréalistes, et pour compléter la ressemblance, une chanson sans paroles[4].»

Cette sculpture de Molinari (fig. 5) révélait son intuition de la possibilité d'une sculpture à structure ouverte plutôt que définie par une masse et des volumes fermés.

Pendant les mois qui suivirent l'exposition *La Place des Artistes*, Molinari produisit une longue série de petites huiles faites par la juxtaposition systématique de taches de couleurs vives (fig. 6), qu'il n'exposa pas, mais qui allaient aboutir en 1954 et en 1955 à des tableaux tachistes très structurés et de plus grandes dimensions comme *Juxtaposition* 1954 (cat. nº 2; ill. p. 60) et *Émergence* 1955 (cat. nº 3; ill. p. 61).

La première exposition solo de Molinari eut lieu en décembre 1954 dans une salle du restaurant de l'Échourie au 45 ouest, avenue des Pins, dont il dirigeait le programme d'expositions[5]. Il présenta plus de vingt dessins à l'encre que de Repentigny décrivit ainsi: «Partant d'un donné universel, celui du graphisme, Molinari parvient à des œuvres qui ont une tenue plastique sûre et souvent un rythme qui charme le regard... Plusieurs des dessins, et ce sont peut-être les plus importants, sont encore une capture de la lumière. Ainsi que l'exprime leur auteur, il y réussit à mettre en valeur la blancheur même du papier, et à accorder à certains espaces à deux dimensions, une importance égale à celle des lignes. D'ailleurs cela semble présager qu'après une plaisante anarchie où la ligne était surtout mobilité, Molinari doit s'acheminer vers la découverte de formes

4. *La Presse*, 2 mai 1953. (Mouloudji [Marcel], écrivain et interprète-auteur français, célèbre dans les années d'après-guerre.)
5. C'est d'ailleurs là qu'eut lieu en février 1955 le lancement du manifeste des plasticiens [Louis Belzile, Jauran (pseudonyme de Rodolphe de Repentigny), Jean-Paul Jérôme et Fernand Toupin] en même temps que leur première exposition de groupe. Quoique sa peinture se rapprocha bientôt des idées du manifeste par «l'épurement des éléments plastiques et de leur ordre», Molinari ne fit jamais officiellement partie du groupe.

Figure 5
Sans titre 1953, sculpture de cuivre et de bambou de Molinari, présentée dans l'exposition *La Place des Artistes* en 1953, et aujourd'hui détruite

Figure 5
Untitled 1953, brass and bamboo sculpture by Molinari exhibited at the exhibition *La Place des Artistes* in 1953, now destroyed

1954 (cat. no. 2; ill. p. 60) and *Émergence* 1955 (cat. no. 3; ill. p. 61).

Molinari's first solo exhibition took place in December 1954, in a room of the restaurant l'Échourie (at 45 Pine Avenue West) for which he was also the director of exhibitions.[5] He exhibited more than twenty ink drawings, which were described by de Repentigny: "Starting from the general idea of draughtsmanship, Molinari arrives at works containing sureness of form and often a rhythm that charms the eye.... Several of the drawings, perhaps the most important ones, are a capturing of light. As the artist explains it, he has succeeded in emphasizing the very whiteness of the paper to advantage and giving certain two-dimensional spaces equal importance with lines. This would seem to be a portent of change – after a period of happy anarchy in which line expressed mobility above all, Molinari should aim for the discovery of concentrated forms. A recent drawing ... is more concentrated, as if the drawing style had been whirled about and blended into an organism seeking to grasp and hold its surrounding."[6]

De Repentigny was pointing out the artist's plastic discoveries of the equal importance of lines and the white surface. In these drawings, Molinari confirmed the two-dimensional nature of the pictorial field as being equivalent to the sheet of paper which serves as its support, introducing the notion of the reversibility of figure and ground. These discoveries were fully enlarged upon in the black and white paintings done in 1955 and 1956, such as *Abstraction* 1955 (cat. no. 5; ill. p. 65) and *White*

Figure 6
Sans titre 1953
Huile sur toile, 20 x 25,2 cm (7-7/8 x 9-15/16 po)
COLLECTION PARTICULIÈRE

Figure 6
Untitled 1953
Oil on canvas, 20 x 25.2 cm (7-7/8 x 9-15/16 in.)
PRIVATE COLLECTION

5. It was there in February 1955 that the *Plasticien* manifesto was launched by Louis Belzile, Jauran (Rodolphe de Repentigny), Jean-Paul Jérôme, and Fernand Toupin at the same time as their first group exhibition. Even though Molinari's painting soon reflected the manifesto's ideas in its "purifying of formal elements and their order," Molinari was never officially part of the group.
6. *La Presse* (Montreal), 11 December 1954.

concentrées. Un récent dessin ... est plus ramassé, comme si le graphisme s'était fondu à force de tourbillonner, en un organisme qui cherche à s'annexer le monde ambiant[6]. »

De Repentigny signalait les découvertes plastiques de l'artiste sur l'importance égale des lignes et de la surface blanche. Dans ces dessins, Molinari confirmait la bidimensionnalité du champ pictural comme équivalent de celle de la feuille de papier lui servant de support et introduisait ainsi la notion de réversibilité des formes et du fond. Ces découvertes apparaîtront pleinement amplifiées dans les tableaux noirs et blancs de 1955 et 1956, comme *Abstraction* 1955 (cat. n° 5; ill. p. 65) et *Vertical blanc* 1956 (cat. n° 7; ill. p. 68), et dont certains, comme *Angle noir* 1956 (cat. n° 6; ill. p. 67), furent même faits d'après des dessins à l'encre (cat. n° 70; ill.).

Ces dessins de 1953 et 1954 avaient une origine authentiquement graphique provenant directement de l'écriture même de l'artiste. Celui-ci avait fait en 1951, 1952 et 1953 des expériences d'écriture automatique qui avaient des qualités plastiques indéniables. C'est à partir de ces écrits, dont certains tout à fait indéchiffrables ne pouvaient être «lus» qu'en tant que lignes, qu'il commença en 1953 à dessiner véritablement.

Les premiers dessins de 1953 et de 1954 (cat. n°s 51, 52, 53; ill.) sont remarquables par la nervosité des traits faits à la plume qui, à travers les bris et les hachures, finissent par constituer des lignes qui animent et brisent la continuité de la surface blanche de la feuille de papier. C'est ainsi que Molinari découvrit les qualités vibratoires des contrastes entre le noir et le blanc.

Dans ces dessins, comme dans la plupart des autres, seule la signature indique une direction de lecture car la composition elle-même est sans haut ni bas, sans gauche ni droite. Les lignes sont cependant concentrées vers le centre de la feuille et sont entourées des quatre côtés d'une bordure blanche relativement

6. *La Presse*, 11 décembre 1954.

Vertical 1956 (cat. no. 7; ill. p. 68). Some of these, like *Black Angle* 1956 (cat. no. 6; ill. p. 67), were in fact done from ink drawings (cat. no. 70; ill.).

The drawings done in 1953 and 1954 had authentic graphic origins, stemming directly from the artist's own handwriting. In 1951, 1952, and 1953, he had experimented with automatic writing, which had an undeniable plastic quality. From these writings, some of which were totally undecipherable and "readable" only as lines, he began, in 1953, really to draw. His first drawings of 1953 and 1954 (cat. nos 51, 52, 53; ill.) are notable for the nervousness of the pen strokes, which through breaks and hatchings end up forming lines that enliven and break the continuity of the blank surface of the sheet of paper; in this way he discovered the vibrancy of contrasts between black and white. In these drawings, as in most of his others, the artist's signature is the only indication of which way it is to be viewed, since the composition itself has no top or bottom, no left or right. However, the lines are concentrated towards the centre of the sheet, and are surrounded on all four sides by a relatively wide blank border.

In contrast, from 1954 on Molinari, in drawings such as catalogue numbers 54 and 56 (ill.) for example, accepted the notion of a composition taking up the whole of the sheet of paper; in these, as in his 1955 drawings (cat. no. 66; ill.), the hatched lines emphasize the white areas which take on the appearance of a series of juxtaposed spots spread over the entire surface. These formal discoveries, which Molinari made in his ink drawings, have their counterpart in the structure of his Tachist paintings of 1954 and 1955, such as *Juxtaposition* (cat. no. 2) and *Émergence* (cat. no. 3), and even in the structure of his Tachist watercolours of 1955 (cat. nos 67 and 68; ill.). The sequence of 1954 drawings (from cat. no. 57 to cat. no. 62; ill.) shows great virtuosity in the manipulation of the elements of formal language: their broken or unbroken lines, their curves,

large. Dès 1954, par ailleurs, Molinari assume, avec des dessins comme les cat. nos 54 et 56 (ill.) par exemple, la notion d'une composition occupant toute la surface de la feuille de papier; dans ces dessins, comme dans ceux de 1955 (cat. no 66; ill.) les lignes hachurées dégagent des aires blanches qui s'organisent comme une série de taches juxtaposées sur toute la surface. Ces découvertes formelles des dessins à l'encre ont leurs pendants dans la structure des tableaux tachistes de 1954 et 1955 comme *Juxtaposition* (cat. no 2) et *Émergence* (cat. no 3) et même dans celle des aquarelles tachistes de 1955 (cat. nos 67 et 68; ill.).

La séquence de dessins de 1954 (qui va du cat. no 57 au cat. no 62; ill.) manifeste une grande virtuosité dans la manipulation des éléments du langage formel, avec leurs lignes brisées ou continues, leurs courbes, et leur pointillisme qui mène à la cohérence des dessins de la fin de cette année (cat. no 63; ill.), et du début de 1955 (cat. nos 64 et 65; ill.).

Avec les dessins figuratifs des cat. nos 55 et 71 (ill.), l'artiste, en utilisant le même langage formel, parvient à créer une image lisible sans faire appel à l'illusion de la troisième dimension, propre à la figuration traditionnelle.

Un dessin de 1956 fait au pinceau et à la teinture de chaussures, comme le cat. no 69 (ill.), suit de près un tableau de 1955, *Abstraction* (cat. no 5), et fait partie d'une série de dessins du même type dont certains, tel le cat. no 70 (ill.), ont même servi d'esquisses pour des tableaux géométriques noirs et blancs de 1956 comme *Angle noir* (cat. no 6).

Les dessins au pinceau et à l'encre de 1957 et 1958 (cat. nos 72, 73, 74, 77 et 78; ill.) ont leurs parallèles dans un tableau hard-edge comme *Multi-blanc* de 1958 (cat. no 9; ill.), tandis que des dessins à la plume de la même époque (cat. nos 75 et 76; ill.) reprennent des thèmes esquissés dès 1954, et réapparaîtront quelque douze années plus tard dans un dessin de 1969 (cat. no 79; ill.), qui faisait lui aussi partie d'une série.

C'est en janvier 1955 que Molinari fit son premier voyage à New

and their pointillism lead to the coherence of the drawings done at the end of that year (cat. no. 63; ill.) and the beginning of 1955 (cat. nos 64 and 65; ill.). With his figurative drawings, catalogue numbers 55 and 71 (ill.), the artist, using the same formal language, attains a readable image without resorting to the illusion of depth common to traditional representation.

A drawing done with a brush and shoe dye in 1956, catalogue number 69 (ill.), closely follows a painting like *Abstraction* of 1955 (cat. no. 5), and is part of a series of drawings of the same type. Some of these, like catalogue number 70 (ill.), serving as preliminary sketches for the geometric black and white paintings done in 1956, such as *Black Angle* (cat. no. 6). The brush and ink drawings of 1957 and 1958 (cat. nos 72, 73, 74, 77, and 78; ill.) have their parallels in a hard edge painting like *Multi-White* of 1958 (cat. no. 9; ill. p. 71); while the pen drawings of the same period (cat. nos 75 and 76; ill.) take up themes he had been working on since 1954, which would reappear some twelve years later in a 1969 drawing (cat. no. 79; ill.) that was also part of a series.

In January 1955 Molinari made his first trip to New York. He was overwhelmed by the colour and the lyricism of Kandinsky's paintings, which he discovered at the Guggenheim Museum. This vision of the coherence of the plastic development in Kandinsky's work was for Molinari an experience similar to that of discovering the works of Morrice at the Montreal Museum of Fine Arts almost seven years earlier. Paradoxically, Mondrian's paintings in The Museum of Modern Art, New York – particularly *Painting 1* 1926 – were just as important for Molinari as Kandinsky's. The powerful sparseness of Mondrian's works confirmed Molinari's belief that he could enrich the meaning of his own pictorial language by reducing its number of elements.

On his return from New York, Molinari took part, exhibiting only drawings, in an exhibition called *Espace 55* which took

York. Il fut bouleversé par la couleur et le lyrisme de l'œuvre de Kandinsky qu'il découvrit au Musée Guggenheim. Cette vision de la cohérence du développement plastique de Kandinsky fut pour lui une expérience analogue à celle de la découverte de l'œuvre de Morrice au Musée des beaux-arts de Montréal presque sept ans auparavant.

Les tableaux de Mondrian au Musée d'Art Moderne de New York, en particulier *Peinture 1* 1926, lui furent paradoxalement aussi importants que ceux de Kandinsky. La puissance du dépouillement des œuvres de Mondrian vint confirmer qu'il lui était possible d'approfondir le sens de son propre langage pictural par la réduction de ses éléments.

De retour à Montréal, Molinari ne présenta que des dessins dans l'exposition *Espace 55* qui eut lieu en février au Musée des beaux-arts de Montréal. Dans la préface du catalogue, Gilles Corbeil situait le travail des onze participants dans le prolongement de l'automatisme et décrivait les œuvres de Molinari et de Paterson Ewen comme ayant conservé des «attaches surréalistes».

Cette exposition ayant suscité une querelle entre Borduas et Fernand Leduc sur la viabilité et l'originalité de la peinture faite dans le milieu montréalais, Molinari publia, dans un texte intitulé *L'Espace tachiste ou Situation de l'automatisme*, des considérations sur l'automatisme canadien par rapport à «l'automatisme américain[7]». Selon lui, les automatistes canadiens avaient continué à utiliser des procédés stylistiques traditionnellement liés à l'illusion de l'espace tridimensionnel, déjà abandonnés par

place in February at the Montreal Museum of Fine Arts. In his preface to the catalogue, Gilles Corbeil situated the work of the eleven participants in a continuum, yet with a difference, of Automatism, and described the works of Molinari and Paterson Ewen as retaining "surrealist ties."

This exhibition gave rise to a quarrel which occurred between Borduas and Fernand Leduc over the viability and the originality of the painting being done in Montreal circles. Molinari published an article entitled "L'Espace tachiste ou Situation de l'automatisme" (Tachist space or the situation of Automatism) in which he discussed Automatism in Canada in relation to "American Automatism."[7] Molinari saw Canadian Automatists continuing to use stylistic devices traditionally linked to the illusion of three-dimensional space. These devices had already been abandoned by Jackson Pollock, following Mondrian's example who used the notion of a "dynamic plane in which colour rediscovers all its potential energy."

Molinari's article ended with an appeal for the creation of a new painting whose spatial structure would be original: "Whatever the literary or *Plasticien* vocabulary an art form uses to define itself, it will be valid only in terms of the spatial structure it creates. And it is the solution to the problem of colour-light that will condition this space. In short, we must stop redoing the painting which has already been overly redone."

On 28 May 1955, Molinari, with financial backing from Fernande Saint-Martin, opened the gallery l'Actuelle at 278

7. *L'Autorité*, 2 avril 1955. Dans cet article Molinari citait les propos de Mondrian sur la nécessité de la destruction de l'espace traditionnel et de la création d'un plan dynamique qui avait été publiés dans un article de James Johnson Sweeney dans le numéro d'été 1951 d'*Art News* que Molinari avait acheté à l'automne 1951 chez Eaton's à Montréal.

7. *L'Autorité* (Montreal), 2 April 1955. In this article Molinari quoted Mondrian on the need to destroy traditional space and create a dynamic plane; these views were published in an article by James Johnson Sweeny in the Summer 1951 issue of *Art News*, which Molinari purchased in the fall of 1951 at Eaton's in Montreal.

les automatistes américains, dont Jackson Pollock à la suite de Mondrian qui lui s'était servi de la notion du «plan dynamique où la couleur retrouve toutes ses possibilités énergétiques».

L'article de Molinari se terminait par un appel à la création dans le milieu montréalais d'une nouvelle peinture dont la structure spatiale se devait d'être originale: «Quel que soit le vocabulaire littéraire ou plasticien dans lequel une forme d'art voudra se définir, elle ne sera valable qu'en fonction de la structure spatiale qu'elle créera. Et c'est la solution apportée au problème de la couleur-lumière qui conditionnera cet espace. En somme, il faut cesser de refaire le tableau trop refait déjà.»

Le 28 mai 1955, avec l'aide financière de Fernande Saint-Martin, Molinari ouvrit la Galerie l'Actuelle, au 278 ouest, rue Sherbrooke, à Montréal[8]. Même à cette époque, la fondation d'une galerie n'aurait eu en soi rien de particulièrement exceptionnel sauf si Molinari ne s'était engagé à n'y exposer que la peinture non-figurative. C'était là un engagement important pour le milieu à une époque où l'art non-figuratif représentait culturellement les forces progressives et tenait lieu de manifeste contre des traditions opprimantes. Les conditions décrites dans *Refus Global* n'avaient pas fondamentalement changé.

Molinari concevait aussi cette galerie comme, à la suite de l'Échourie, le point de rassemblement des jeunes peintres de la génération post-automatiste. Le texte du communiqué de presse annonçant l'ouverture de la galerie, écrit par Fernande Saint-Martin, définissait les buts de ce nouveau centre d'activité culturelle axé sur un besoin de liberté d'expérimentation hors de toute contrainte:

Croyant que toute l'évolution de notre milieu tient à la réalisation de quelques individualités résolues à ne pas se nier elles-mêmes,

8. Fernande Saint-Martin, maintenant directrice du Musée d'Art Contemporain de Montréal, était alors journaliste à *La Presse*. Elle épousa Molinari en 1958. Ils ont deux enfants: Guy, né en 1960, et Claire, née en 1962.

Sherbrooke Street West in Montreal.[8] Even at that time, the opening of a gallery would not have been an exceptional event, except that Molinari committed himself to exhibiting non-figurative painting exclusively. This was an important commitment for the circle at a time when non-figurative art was a culturally progressive force and served as a manifesto against oppressive traditions. The conditions described in *Refus Global* had not changed fundamentally.

Molinari also intended this gallery, like l'Échourie, to be a meeting place for young artists of the post-Automatist generation. Fernande Saint-Martin's press release announcing the gallery opening defined the goals of this new centre of cultural activity: oriented to the need for freedom to experiment without any restriction: "In the belief that all development in our milieu depends on the achievements of a number of individuals who have resolved against self-denial, the gallery will seek to offer painters the objective conditions necessary for the intuition of art.... But the danger remains that only an art which conforms to a certain image of the development of contemporary painting will be shown to the public.... In order to fight any new academic tyranny and to give any new artistic ventures the outlet they need, l'Actuelle has been created.... The gallery, while defending the integrity and the limitless possibilities of plastic values, will try as far as possible to be a link between all artistic fields which express a new awareness."[9]

Rodolphe de Repentigny enthusiastically underlined the importance of this new gallery's opening in his review of the first

8. Fernande Saint-Martin, now the director of the Musée d'Art Contemporain in Montreal, was then a newspaper reporter at *La Presse*. She and Molinari were married in 1958; they have two children, Guy, born in 1960, and Claire, born in 1962.

9. *Le Devoir* (Montreal), 31 May 1955, p. 5. The same article, slightly changed, appeared in *La Presse* (Montreal), 28 May 1955, under the headline "L'Actuelle une galerie pour la jeune peinture" (L'Actuelle a gallery for young artists).

elle [la galerie] *cherchera à faciliter aux peintres l'objectivation nécessaire à l'intuition de l'œuvre artistique... Mais toujours subsiste le danger que seules puissent être montrées au public des œuvres qui soient conformes à une certaine image de l'évolution de la peinture contemporaine... Afin de lutter contre tout nouvel académisme tyrannique et pour donner à toute aventure plastique nouvelle l'issue dont elle a besoin, «l'Actuelle» a été fondée... Tout en défendant l'intégrité et les possibilités illimitées des valeurs plastiques, cette galerie tendra, dans la mesure de ses moyens, de se faire un lien entre tous les domaines artistiques qui sont l'expression d'une nouvelle sensibilité*[9].

Rodolphe de Repentigny allait par ailleurs souligner avec enthousiasme l'importance de la création de cette galerie lors de sa critique de la première exposition tenue à l'Actuelle: «L'ouverture d'une nouvelle galerie à Montréal, c'est un événement au même titre, pour ceux qui s'intéressent de près ou de loin à la peinture, que celle d'un nouveau théâtre ... s'il en existait déjà d'autres. Et quand cette galerie est fondée par un jeune peintre annonçant qu'il consacrera sa galerie uniquement à des expositions de ce qui passe pour être la peinture «d'avant-garde», cela est bouleversant. D'une part c'est ce que l'on souhaite depuis des années, et d'autre part c'est une aventure à la taille de celles où les peintres eux-mêmes sont depuis longtemps engagés[10].»

Cette première exposition, dont les profits devaient aller à l'organisation d'une représentation théatrale d'une pièce de Claude Gauvreau, rassemblait les œuvres des peintres les plus valables du milieu montréalais parmi les automatistes, les indépendants, et les plasticiens[11].

9. *Le Devoir*, 31 mai 1955, p. 5. Le même texte, légèrement modifié, parut dans *La Presse*, le 28 mai 1955, sous le titre *L'Actuelle une galerie pour la jeune peinture*.
10. *La Presse*, 11 juin 1955.
11. Borduas, Jean-Paul Riopelle, Jean-Paul Mousseau, Claude Gauvreau, Fernand Leduc, Rita Letendre, Claude Tousignant, Noël Lajoie, Pierre Bourassa, Robert Blair, Jean Goguen, Jean McEwen, Pierre Émond,

exhibition to be held there: "For those who are close or even not so close to painting, the opening of a new gallery in Montreal is an event – in the same way as the opening of a new theatre ... even if others already exist. And when this gallery is founded by a young painter who announces that it will be solely devoted to exhibitions of what passes for 'avant-garde' painting, it is overwhelming. On the one hand, it is what we have been hoping for for years, and on the other hand, it is a venture on a par with those to which the painters themselves have been committed for a long time."[10]

This initial exhibition, the proceeds of which were to go towards the staging of a play by Claude Gauvreau, brought together the works of the most cogent of the Montreal painters among the Automatists, the independents, and the *Plasticiens*.[11]

Following the gallery opening, *L'Exposition de Peinture canadienne*, an exhibition organized by two students, Rolande Sainte-Marie and Robert Parizeau, and Molinari as director of l'Actuelle, took place in November of the same year at the École des Hautes Études Commerciales. This exhibition, similar in scope to *La Place des Artistes*, displayed the works of 71 Quebec painters and sculptors,[12] and also the works of 45 artists from Ontario, Manitoba, Alberta and British Columbia – an exhibition of the Canadian Society of Painters in Water Colour circulated by the National Gallery of Canada.[13] The exhibition also included a small section of jewellery, enamel, and ceramics.

10. *La Presse* (Montreal), 11 June 1955.
11. Borduas, Jean-Paul Riopelle, Jean-Paul Mousseau, Claude Gauvreau, Fernand Leduc, Rita Letendre, Claude Tousignant, Noël Lajoie, Pierre Bourassa, Robert Blair, Jean Goguen, Jean McEwen, Pierre Émond, Paterson Ewen, and the four *Plasticiens*, Jauran, Jérôme, Belzile, and Toupin. Molinari himself exhibited a 1954 painting.
12. Among them were works by Borduas, Riopelle, John Lyman, Fernand Leduc, Jean McEwen, Goodridge Roberts, Claude Tousignant, Louis Archambault, and Robert Roussil.
13. Among them were A. Y. Jackson, Jack Bush, Oscar Cahén, Will Ogilvie, Carl Schaefer, Jack Shadbolt, and B. C. Binning.

Suivant l'ouverture de la galerie, *L'Exposition de Peinture canadienne*, organisée par deux étudiants, Rolande Ste-Marie et Robert Parizeau, et par Molinari en tant que directeur de l'Actuelle, eut lieu en novembre 1955 à l'École des Hautes Études Commerciales. Cette exposition, dont l'ampleur rappelait *La Place des Artistes*, présentait les œuvres de soixante et onze peintres et sculpteurs québécois[12], auxquelles vinrent s'ajouter les œuvres de quarante-cinq artistes de l'Ontario, du Manitoba, de l'Alberta et de la Colombie-Britannique participant à une exposition de la «Canadian Society of Painters in Water Colour» mise en tournée par la Galerie nationale[13]; l'exposition comprenait aussi une petite section d'œuvres de joailliers, d'émaillistes et de céramistes.

Les intentions des organisateurs de l'exposition furent explicitées par Fernande Saint-Martin dans la préface du catalogue: «... malgré certaines absences individuelles, toutes les tendances de la peinture canadienne sont ici représentées par un groupe important d'œuvres et de peintres... Cette confrontation de tendances figuratives, plasticiennes ou non-figuratives, constitue l'épreuve la plus fructueuse à laquelle puisse se soumettre l'art vivant d'aujourd'hui. D'abord pour qu'apparaisse aux yeux de tous les sens de ces démarches essentielles et surtout pour que se révèlent les composantes d'un art qui serait peut-être proprement canadien[14].»

Molinari y exposait deux toiles, dont *Abstraction n° 1* (cat. n° 4; ill. p. 64), qu'il avait faites dans l'intention manifeste

---

Paterson Ewen et les quatre plasticiens, Jauran, Jérôme, Belzile et Toupin. Molinari lui-même y exposait un tableau de 1954.

12. Parmi celles-ci se trouvaient des œuvres de Borduas, Riopelle, John Lyman, Fernand Leduc, Jean McEwen, Goodridge Roberts, Claude Tousignant, Louis Archambault et Robert Roussil.

13. Parmi ceux-ci se trouvaient A. Y. Jackson, Jack Bush, Oscar Cahén, Will Ogilvie, Carl Schaefer, Jack Shadbolt, et B. C. Binning.

14. *Point de Vue*, préface au catalogue *Exposition de peinture canadienne*, Montréal, École des Hautes Études Commerciales, 12–30 novembre 1955.

The intentions of the exhibition organizers were made clear in a preface to the catalogue by Fernande Saint-Martin: "...in spite of some individual omissions, every trend in Canadian painting is represented here in an important group of paintings and painters.... This encounter of figurative, *Plasticien*, and non-figurative trends is the most fruitful test to which living art can be put today, firstly, so that the direction of these essential steps may be seen by all, and especially, so that the components of an art which might properly be called Canadian may be revealed."[14]

Molinari exhibited two paintings, one of them *Abstraction No. 1* (cat. no. 4; ill. p. 64), which he had done with the express intention of combining the technical experiments of Jackson Pollock with his own explorations in calligraphy and spatial relationships in black and white drawings. In his 1955 article "L'Espace tachiste ou Situation de l'automatisme," Molinari had emphasized the analogy between Mondrian's dynamic plane and Pollock's "dab," both of these resulting in a "non-Euclidian energy space."

On 13 February 1956, at l'Actuelle, the Non-Figurative Artists Association of Montreal (NFAAM) was founded; Molinari was the first treasurer. The association began on 1 February when a committee made up of Fernand Leduc, Jauran (a pseudonym of the critic Rodolphe de Repentigny), and Pierre Gauvreau met to establish a constitution; the purpose of the association was to "group together the non-figurative painters, sculptors, and engravers of Montreal and to protect their common interests, by striving to ensure them equitable participation in the activities of the city."[15] Twenty-nine artists joined the association when it was founded.

14. "Point de Vue" (Point of view), preface to the catalogue for the *Exposition de peinture canadienne* at the École des Hautes Études, in Montreal 12–30 November 1955.

15. Mimeographed text published by the NFAAM, 1 February 1956.

d'intégrer les expériences techniques de Jackson Pollock à ses propres explorations calligraphiques et spatiales des dessins en noir et blanc. Dans son article de 1955 intitulé «L'Espace tachiste ou Situation de l'automatisme», Molinari avait d'ailleurs souligné l'analogie entre le «plan dynamique» de Mondrian et la «tache» de Pollock, l'un et l'autre aboutissant à un «espace énergétique non euclidien».

C'est à l'Actuelle qu'eut lieu, le 13 février 1956, la fondation de l'Association des Artistes Non-Figuratifs de Montréal (AANFM), dont Molinari fut le premier trésorier.

L'association s'était d'abord formée le 1er février par un comité composé de Fernand Leduc, Jauran (pseudonyme du critique Rodolphe de Repentigny) et Pierre Gauvreau pour en établir la constitution. Il s'agissait de «grouper les peintres, sculpteurs et graveurs non-figuratifs de Montréal et de protéger leurs intérêts collectifs, en s'efforçant de leur assurer une participation équitable aux activités de la ville[15]». Vingt-neuf artistes se joignirent à l'association dès sa fondation. La première d'une longue série d'expositions se tint au restaurant Hélène de Champlain de l'Île Ste-Hélène, du 27 février au 3 avril 1956, et comptait tous les membres de l'association (fig. 7). Molinari y présenta *Abstraction* 1955 (cat. n° 5; ill. p. 65), remarquable tant par ses dimensions que par la clarté de son schéma conceptuel: le noir brillant, loin d'agir comme un trou à l'intérieur de la surface blanche, s'affirme comme couleur et fait tout aussi partie de la surface du tableau que le blanc. Molinari posait l'équivalence spatiale du noir et du blanc et créait pour lui-même cet équilibre dynamique de la surface qu'avait découvert Mondrian.

La critique[16] y vit plutôt une forte influence de Franz Kline.

15. Texte polycopié par l'Association (AANFM), 1er février 1956.
16. De Repentigny, dans *La Presse*, 3 mars 1956, et Noël Lajoie, dans *Le Devoir*, 10 mars 1956.

The first of a long series of exhibitions was held at the Hélène de Champlain restaurant on Saint Helen's Island, from 27 February to 3 April 1956, and included all the members of the association (fig. 7). Molinari exhibited *Abstraction* 1955 (cat. no. 5; ill. p. 65), a canvas remarkable as much for its size as for the clarity of its conceptual arrangement: the shiny black, far from giving the effect of being a hole in the middle of the white surface, asserts itself as a colour and is just as much a part of the surface of the painting as the white. Molinari set up a spatial equivalence between black and white, creating for himself the dynamic surface equilibrium which Mondrian had discovered. The critics,[16] on the other hand, saw a strong influence of Franz Kline. It would not be surprising if there had been such an influence, but this was failing to recognize the important contribution made by the artist's own ink drawings to the development of his painting, and confusing the abstract expressionism of Franz Kline with Molinari's concern for spatial construction. Molinari was to confirm this *Plasticien* option in his exhibition of ten black and white paintings which he held at l'Actuelle from 30 April to 14 May 1956.

De Repentigny realized the impact of this exhibition for the Montreal scene. After discussing Molinari's recent development, he wrote: "However, although certain factors may contribute to obscuring this aspect, [his development] is part of a radical transformation in the work of our 'avant-garde' painters: for some time, all of them have been seeking an art form which is perfectly free and at the same time regains its direction in discipline, a rigorous vision. For several artists, throbbing sensitivity or the subjective vision, more 'acted out' than conceived, suddenly ceases to be the prime criterion for artistic creation."[17]

De Repentigny's *Plasticien* bias is clearly obvious in this

16. De Repentigny in *La Presse* (Montreal), 3 March 1956, and Noël Lajoie in *Le Devoir* (Montreal), 10 March 1956.
17. *La Presse* (Montreal), 15 May 1956.

Figure 7
L'exposition de l'*Association des artistes non-figuratifs de Montréal*, au Restaurant Hélène de Champlain sur l'île Ste-Hélène, à Montréal, du 27 février au 3 avril 1956. A l'extrême droite, *Abstraction* 1955 de Molinari (cat. nº 5)

Figure 7
The exhibition *Non-Figurative Artists Association of Montreal*, at the Restaurant Hélène de Champlain on Saint-Helen's Island, Montreal, held 27 February to 3 April 1956. At the extreme right, *Abstraction* 1955 by Molinari (cat. no. 5)

Il n'eut pas été surprenant qu'elle ait existé, mais c'était méconnaître l'apport original des dessins à l'encre de l'artiste dans l'élaboration de sa peinture et confondre l'expressionnisme gestuel de Franz Kline avec les soucis de construction spatiale de Molinari.

Molinari allait d'ailleurs confirmer cette option plasticienne dans son exposition de dix tableaux noirs et blancs qu'il tint à l'Actuelle du 30 avril au 14 mai 1956.

De Repentigny comprit l'impact de cette exposition pour le milieu montréalais. Après avoir parlé de l'évolution récente de Molinari, il écrivit: «Cependant, elle [son évolution] fait partie, malgré que certains facteurs contribuent à voiler cet aspect, d'une transformation radicale dans le travail de nos peintres «d'avant-garde»: tous depuis quelque temps recherchent un art qui soit à la fois parfaitement libre et retrouve cependant son sens dans une discipline, une rigueur de la vision. La sensibilité palpitante, la vision subjective, plus «agie» que conçue, cesse soudain d'être le critère premier de la production pour plusieurs artistes[17].»

Le préjugé plasticien de de Repentigny est évidemment manifeste dans ce commentaire, mais le critique sut souligner la valeur de l'exposition comme le signal de la fin de la période automatiste et le début d'une ère de conceptualisation plus rigoureuse de la peinture. De Repentigny, continuant, soulignait ce que pouvait avoir de radical la peinture de Molinari: «Dans les grands tableaux..., les surfaces noires et blanches atteignent à une monumentalité réelle. Devant ces tableaux, si l'on veut en tirer quelque profit, il faut oublier qu'il s'agit de «tableaux» et il faut taire les préconceptions que l'on peut avoir sur la peinture. Tout ce qui contribue à des tensions locales est à peu près anéanti. Il ne reste que de puissants équilibres soulignés par des contrastes extrêmes: lumière et absence de lumière[18].»

17. *La Presse*, 15 mai 1956.
18. *Ibid.*

comment, but the critic was able to emphasize the exhibition's value as the signal of the end of the Automatist period and the beginning of an age of more rigorous conceptualization in painting. Continuing, de Repentigny stressed what could be considered radical in Molinari's painting: "In the large canvases ... the black and white surfaces attain real monumentality. If one wishes to gain something from looking at these paintings, one must forget that they are 'paintings' and rid oneself of any preconceived notions one might have about painting. Anything that contributes to localized tensions has been virtually wiped out. There remain only powerful balances, heightened by extreme contrasts: light and absence of light."[18]

The artist's deep intuition of the visual equivalence of black and white is displayed in *Black Angle* 1956 (cat. no. 6; ill. p. 67) and *White Vertical* 1956 (cat. no. 7; ill. p. 68) by their juxtaposition on the surfaces of the paintings. The intensity of the contrast between the two colours visually creates the dynamic plane.

In September, Molinari organized a group exhibition at the Parma Gallery in New York, which was intended to be part of an exchange programme with l'Actuelle. The exhibition, entitled *Modern Canadian Painters*, included, in addition to a black and white painting by Molinari, works by Noël Lajoie, Gilles Corbeil, Paterson Ewen, Fernand Toupin, Robert Blair, Fernand Leduc, Claude Tousignant, and Ulysse Comtois. It rated a brief but favourable mention by James R. Mellow in the September 1956 issue of *Arts Magazine*.

Molinari was kept very busy as director of l'Actuelle and did little painting in 1957. He closed the gallery in June, following an exhibition of his recent calligraphies and Claude Tousignant's watercolours (fig. 8). The closing signaled for Molinari the end of his role as an organizer and leader in the milieu.[19]

18. *Ibid.*
19. During the two years of the existence of l'Actuelle, the following

Angle noir 1956 (cat. nº 6; ill. p. 67) et *Vertical blanc* 1956 (cat. nº 7; ill. p. 68) contiennent l'intuition profonde de l'artiste sur l'équivalence visuelle du noir et du blanc, dans leur juxtaposition sur la surface du tableau. L'intensité du contraste des deux couleurs créait visuellement le plan dynamique.

En septembre, Molinari organisa à la Galerie Parma de New York une exposition collective qui voulait s'inscrire dans un programme d'échanges avec la Galerie l'Actuelle. L'exposition intitulée *Modern Canadian Painters* comprenait, outre un tableau noir et blanc de Molinari, des œuvres de Noël Lajoie, Gilles Corbeil, Paterson Ewen, Fernand Toupin, Robert Blair, Fernand Leduc, Claude Tousignant et Ulysse Comtois. Elle se mérita une brève mais sympathique mention de James R. Mellow dans *Arts Magazine* de septembre 1956.

Très préoccupé par ses fonctions de directeur de la galerie, Molinari peignit peu en 1957. Il ferma d'ailleurs l'Actuelle en mai, après une exposition de ses calligraphies récentes et d'aquarelles de Claude Tousignant (fig. 8). La fermeture de sa galerie signalait la fin de son rôle d'organisateur et d'animateur du milieu artistique[19].

19. Au cours des deux années d'existence de l'Actuelle, les artistes suivants, hors Molinari (30 avril – 16 mai 1956), y avaient tenu des expositions individuelles:
En 1955: 4–23 octobre, Noël Lajoie, peintures; 25 octobre – 8 novembre, Paul-Émile Borduas, aquarelles; 12–22 novembre, Jean-Paul Jérôme, peintures; 23 novembre – 6 décembre, Roland Giguère, œuvres graphiques; 7–24 décembre, Marcel Barbeau, gouaches.
En 1956: 10–23 janvier, Ulysse Comtois, peintures; 8–21 février, Louis Belzile et Fernand Toupin, peintures; 22 février – 10 mars, Rita Letendre, peintures; 11 mars(?) – 11 avril, Jean-Paul Mousseau, peintures; 12–25 avril, Jean Bertrand, aquarelles; 17–30 mai, Serge Charcoune, peintures; 31 mai – 14 juin, Claude Tousignant, peintures; 15–29 juin, Robert Blair, peintures et encres; 16 octobre – 5 novembre, Fernand Leduc, peintures; 6–26 novembre, Jean McEwen, peintures; 27 novembre – 17 décembre, Léon Bellefleur, dessins.
En 1957: 17–30 janvier, Natalia Pervouchine, collages; 1er–17 février, Marcelle Maltais, encres; 18 février – 11 mars, Guy Borremans, photographies; 12–25 mars, Harold Town, monotypes; 26 mars – 8 avril,

Figure 8
L'exposition *Guido Molinari, Claude Tousignant*, à la Galerie l'Actuelle, du 7 au 19 mai 1957. Sur les murs, des calligraphies de Molinari

Figure 8
The exhibition *Guido Molinari, Claude Tousignant*, held at the Galerie l'Actuelle 7–19 May 1957. On the walls, calligraphies by Molinari.

Au cours de l'année 1958, Molinari continua à dessiner beaucoup et se remit à la peinture avec plus d'énergie. Il exposa à la Galerie Artek, du 18 novembre au 6 décembre, sous le titre de *Calligraphies*, douze gouaches de grandes dimensions. Parmi celles-ci, *Emergence du rouge* 1958 (cat. nº 8; ill. p. 69) est une œuvre dont les forts accents verticaux et la solidité des couleurs rappellent les tableaux tachistes de 1954–1955.

Dans *Multi-blanc* 1958 (cat. nº 9; ill. p. 71), tableau noir et blanc de la même période, les recherches calligraphiques des dessins aboutissent à une surface épurée et totalement contrôlée, où apparaît avec encore plus de force l'énergie optique des contrastes dans un schéma qui souligne les caractéristiques verticales et horizontales de la surface du tableau.

A la fin du mois d'août 1958, dans une interview télévisée avec le critique d'art Guy Viau, M. John Steegman, alors directeur du Musée des beaux-arts de Montréal, se déclara *contre* la peinture abstraite, ravivant ainsi le débat sur la valeur de l'abstraction.

Gérard Tremblay, aquarelles; 9–21 avril, Guy Ouvrard, céramiques; 23 avril – 4 mai, Mashel Teitelbaum, peintures; 7–19 mai, Claude Tousignant, aquarelles; Guido Molinari, calligraphies.

En outre, les expositions de groupes suivantes y furent présentées:
En 1955: 28 mai – 23(?) juin, Exposition inaugurale (voir note 11, les noms des participants); 24 juin – (?) août, Photographies de Jean-Pierre Beaudin, Michel Brault, Albert Dumouchel, Gregory, Louis Guilbaut, Jauran, Jean Laflamme, Kika Lasnier, Robert Millet (organisateur de l'exposition), Jean-Paul Mousseau, Roland Truchon, Vittorio, et Gordon Webber; (?) août – 18 septembre, *Salon d'été*, aquarelles, encres et gouaches de Jean-Pierre Beaudin, Robert Blair, Christina Coleman, Ulysse Comtois, Albert Dumouchel, Pierre Dupras, Patterson Ewen, Noël Lajoie, Rita Letendre, et Jean-Paul Mousseau.
En 1956: 24 janvier – 7 février, Œuvres de Paul-Émile Borduas, Gilles Corbeil, Paterson Ewen, Sam Francis, Jean McEwen, Jean-Paul Mousseau, Jean-Paul Riopelle; 22 septembre – 14 octobre: Peinture contemporaine américaine: Paul Brach, Fritz Bultman, Frank Celentano, Sanford Greenberg, James Harvey, Raymond Henler, Felrath Hines, Hans Hokanson, Robert Keyser, Franz Metz, Hans Moller, Earl Olsen, Neal Thomas.

Throughout 1958, Molinari continued to draw a great deal and took up painting again more energetically. He exhibited twelve large gouaches at the Artek Gallery from 18 November to 6 December, in a show called *Calligraphies*. Among these gouaches, *Emergence of Red* 1958 (cat. no. 8; ill. p. 69) is a work in

---

artists, in addition to Molinari (who had an exhibition 30 April–16 May 1956), were given solo exhibitions.
1955: 4–23 October: Noël Lajoie, paintings: 25 October–8 November: Paul-Émile Borduas, watercolours; 12–22 November: Jean-Paul Jérôme, paintings; 23 November–6 December: Roland Giguère, graphics; 7–24 December: Marcel Barbeau, gouaches.
1956: 10–23 January: Ulysse Comtois, paintings; 8–21 February: Louis Belzile and Fernand Toupin, paintings; 22 February–10 March: Jean-Paul Mousseau, paintings; 12–25 April: Jean Bertrand, watercolours; 17–30 May: Serge Charcoune, paintings; 31 May–14 June: Claude Tousignant, paintings; 15–29 June: Robert Blair, paintings and ink drawings; 16 October–5 November: Fernand Leduc, paintings; 6–26 November: Jean McEwen, paintings; 27 November–17 December: Léon Bellefleur, drawings.
1957: 17–30 January: Natalia Pervouchine, collages; 1–17 February: Marcelle Maltais, ink drawings; 18 February–11 March: Guy Borremans, photographs; 12–25 March: Harold Town, monotypes; 26 March–8 April: Gérald Tremblay, watercolours; 9–21 April: Guy Ouvrard, ceramics; 23 April–4 May: Mashel Teitelbaum, paintings; 7–19 May: Claude Tousignant, watercolours, Guido Molinari, calligraphies.

In addition, the following group exhibitions were held during the same period.
1955: 28 May–23(?) June: Inaugural exhibition (see note 11 for list of participants); 24 June–(?) August: photographs by Jean-Pierre Beaudin, Michel Brault, Albert Dumouchel, Gregory, Louis, Guilbault, Jauran, Jean Laflamme, Kika Lasnier, Robert Millet (exhibition organizer), Jean-Paul Mousseau, Roland Truchon, Vittorio, and Gordon Webber; (?) August–18 September: *Summer Salon*: watercolours, ink drawings, and gouaches by Jean-Pierre Beaudin, Robert Blair, Christina Coleman, Ulysse Comtois, Albert Dumouchel, Pierre Dupras, Paterson Ewen, Noël Lajoie, Rita Letendre, and Jean-Paul Mousseau.
1956: 24 January–7 February: works by Paul-Émile Borduas, Gilles Corbeil, Paterson Ewen, Sam Francis, Jean McEwen, Jean-Paul Mousseau, and Jean-Paul Riopelle; 22 September–14 October: *Contemporary American Painting*: Paul Brach, Fritz Bultman, Frank Celentano, Sanford Greenberg, James Harvey, Raymond Henler, Felrath Hines, Hans Hokanson, Robert Keyser, Franz Metz, Hans Moller, Earl Olsen, and Neal Thomas.

Molinari contre-attaqua en demandant publiquement la démission du directeur du Musée, lui reprochant son manque d'impartialité, et ajoutant: «Étant donné l'imcompréhension et le refus que rencontrent de façon si ouverte les œuvres les plus récentes de l'art abstrait presque partout dans le monde et l'attitude elle-même du directeur du Musée vis-à-vis de la jeune peinture montréalaise, sa déclaration à l'effet que la peinture abstraite et universellement acceptée est, hélas!, extrêmement prématurée[20].»

Dans le contexte de ce débat, l'exposition *Art Abstrait*, tenue à l'École des Beaux-Arts de Montréal en janvier 1959, avait dans son titre même valeur de manifeste. Les sept peintres qui y participaient[21] avaient entre eux des affinités stylistiques qui les avaient presque inévitablement amenés comme peintres géométriques abstraits à faire bande à part dans les expositions de l'AANFM, où la majorité des peintres pratiquaient une abstraction lyrique ou gestuelle.

Cette exposition était dédiée aux plasticiens de 1955 ainsi qu'à Malevitch, Taeuber-Arp, Mondrian et Van Doesburg. Chaque artiste publia dans le catalogue un texte sur l'abstraction et Fernande Saint-Martin préfaçait le catalogue dans un texte intitulé «Révélation de l'Art Abstrait» par lequel elle défendait la non-figuration contre des accusations de déshumanisation:

> *A l'intérieur de cet univers plastique* [la non-figuration] *dont l'autonomie se définira de moins en moins par la réjection de la figuration pour s'exprimer plutôt dans la pleine possession d'un ensemble de données qui contribueront à l'élaboration d'un art radicalement neuf et différent, dont nos esprits imagistes ne peuvent encore soupçonner toute la complexité et la spécificité, l'art proprement abstrait s'est toujours donné comme tâche et comme*

20. *Le Devoir*, 29 août 1958.
21. Louis Belzile et Fernand Toupin, des plasticiens de 1955, se joignirent à Fernand Leduc, Jean Goguen, Denis Juneau, Claude Tousignant et Molinari.

which the strong vertical accents and the solidity of the colours are reminiscent of the Tachist paintings of 1954 and 1955.

In the black and white painting of the same period, *Multi-White* 1958 (cat. no. 9; ill. p. 71), the calligraphy experiments in the drawings have produced a pure, totally controlled surface. The optical energy of the contrasts appears even more forcefully in a design that emphasizes the vertical and horizontal characteristics of the surface of the painting.

At the end of August 1958, John Steegman, then director of the Montreal Museum of Fine Arts, declared in a televised interview with Guy Viau that he was "opposed" to abstract painting, and thus revived the debate surrounding the value of abstract art. Molinari counter-attacked with a public demand for the director's resignation, citing his lack of impartiality and adding: "In view of the open reaction of non-understanding and rejection of the more recent works of abstract art almost everywhere in the world, and the very attitude of the Museum director towards young Montreal painters, his statement to the effect that abstract painting has been universally accepted is, alas, extremely premature."[20]

In the context of this debate, the exhibition *Art Abstrait* held at the École des Beaux-Arts the following January, was by its very title, a manifesto. The seven artists who took part in it[21] showed stylistic affinities which almost inevitably led them as abstract geometric painters to restrict themselves to exhibitions of the NFAAM, where the majority of painters were doing lyrical abstracts or action painting.

This exhibition was dedicated to the *Plasticiens* of 1955, as well as to Malevitch, Taeuber-Arp, Mondrian, and Van Doesburg.

20. *Le Devoir* (Montreal), 29 August 1958.
21. Louis Belzile and Fernand Toupin, *Plasticiens* from 1955, joined Fernand Leduc, Jean Goguen, Denis Juneau, Claude Tousignant, and Molinari.

valeur, une prise de conscience lente, continue et assurée, des structures sous-jacentes au foisonnement des formes expressionnistes de projection plastique.

On le verra en lisant les déclarations de chacun des peintres qui participent à cette exposition d'Art abstrait, l'on aurait tort de croire que ces préoccupations plus abstraites couperaient l'artiste du monde des hommes. Chacun manifeste en effet dans une conception élargie du réalisme et du respect de l'objectivité, le souci primordial d'établir avec le réel des relations plus adéquates que celles qu'avaient esquissées la peinture classique.

Le texte se terminait sur un ton dont l'optimisme, à la veille de la «Révolution tranquille», n'était peut-être pas sans justification:

Pour ma part, je suis convaincue qu'en poursuivant sa recherche réfléchie sur les possibilités déjà entrevues de l'univers plastique abstrait, la peinture actuelle découvrira par elle-même les structures d'un monde non-verbal sans cesse interrogé et qu'elle révélera dans les cadres d'une nouvelle logique, d'une nouvelle psychologie et d'une nouvelle géométrie, les dimensions les plus profondes de l'homme nouveau[22].

Rodolphe de Repentigny se faisant l'écho de cet optimisme souligna en ces termes l'importance publique de l'exposition:

L'École des Beaux-Arts a, pour la première fois, offert à un mouvement d'actualité plastique la possibilité de se montrer sous son meilleur aspect, dans la liberté de l'espace et de la lumière. L'exposition «Art abstrait» inaugurée lundi dernier, est remarquable pour plusieurs raisons: l'importance des tableaux, l'homogénéité de l'ensemble, la présentation généreuse, le catalogue fort explicite et, ce qui est peut-être le fait le plus remarquable, l'affluence du public. Périodiquement, des expositions d'art non-figuratif ont été des «succès» à ce point de vue – mais il y a fort

22. *Art Abstrait*, Montréal, École des Beaux-Arts, 12–27 janvier 1959 (catalogue d'exposition).

The catalogue contained an article on abstract art by each of the artists, and Fernande Saint-Martin wrote a preface entitled "Révélation de l'Art Abstrait" (Revelation of abstract art) in which she defended abstract art against the accusations of dehumanization:

The autonomy of this formal world (ie, non-figurative) will be defined less and less by the rejection of representation and more and more by the full possession of a body of data that will contribute to the development of a radically new and different art whose complexity and specificity our imagist minds cannot yet suspect. Truly abstract art has always assumed as its task and its value the creating of an awareness – slowly, continuously, and surely – of the underlying structures of the profusion of Expressionist modes of formal projection.

It will be seen in reading the statements of each of the painters taking part in this exhibition of abstract art that it would be wrong to believe that the more abstract preoccupations cut the artist off from the everyday world. Each of them, in fact, demonstrates, in a broader conception of realism and respect for objectivity, the primary concern of establishing more adequate relationships with reality than those vaguely suggested by classical paintings.

The article ends on an optimistic note which on the eve of the "Quiet Revolution" may not have been unjustified:

For my part, I am convinced that present-day painting, in pursuing its thoughtful exploration of the already glimpsed potential of the abstract art, will discover by itself the structures of an unceasingly questioned non-verbal world, and will reveal within the framework of a new logic, a new psychology and a new geometry, the deepest dimensions of the new man.[22]

De Repentigny echoed this optimism, and emphasized the

22. *Art Abstrait*, École des Beaux-Arts, 12–27 January 1959 (exhibition catalogue).

longtemps que le phénomène ne s'est pas produit pour une manifestation dévouée à une forme particulière de cet art[23].

Dans *Le langage de l'art abstrait*, texte qu'il écrivit pour le catalogue, Molinari reprenait, en les explicitant, les idées de son texte de 1955 sur la structure spatiale et la couleur-lumière dans le tableau. Il y définissait aussi la fonction symbolique de la peinture abstraite: «Pour moi, la réalité plastique première réside dans la structure, c'est-à-dire dans la fonction dynamique résultant du rapport entre les éléments, couleur et plan ... [qui] doivent être utilisés et intégrés dans une nouvelle fonction symbolique, propre à l'élaboration d'un nouveau langage qui soit vraiment adéquat à l'expression de l'individu, soit celui de la peinture abstraite ...

«Pour exprimer «les relations multiples de l'individu avec ce qui l'entoure» ... la seule méthode abstraite et authentique, tente d'inventorier, de découvrir par ses nouveaux moyens d'action, la structure de ce réel, à partir d'une expérience concrète et émotive de l'homme projetée dans une élaboration constante de ses rapports avec l'univers.

«... Quant à moi, le sens de mon œuvre réside dans une recherche continue, par l'intermédiaire d'une méthode analytique, pour expliciter la structure profonde de ces forces qui m'obligent à organiser l'espace pictural selon certaines constantes et ainsi, de prendre conscience de la réalité symbolique constituant le langage plastique qui m'est propre.»

Parlant ainsi de son inspiration comme d'une impulsion organique, Molinari reprenait l'intuition qu'il avait eue dans son *Projet but absolu* de 1952, et qu'il avait exprimée de façon si concrète dans *Émergence II* 1951 (cat. nº 1; ill. p. 59), par exemple.

La juxtaposition des bandes verticales noires et blanches de *Diagonale rouge* 1959 (cat. nº 11; ill. p. 73), inclus dans

23. *La Presse*, 17 janvier 1959.

importance of the exhibition for the public: "The École des Beaux-Arts has, for the first time, given a present-day artistic movement the opportunity to be shown to its best advantage, with complete freedom of space and light. The exhibition, *Art Abstrait*, which opened last Monday, is remarkable for several reasons: the importance of the paintings, the homogeneity of the whole, the lavish presentation, the very detailed catalogue, and perhaps what is most remarkable, the large crowds attending it. From time to time, exhibitions of non-figurative art have been a 'success' in this regard, but it has been quite some time since the phenomenon has occurred for a show devoted to one particular form of art."[23]

In "Le langage de l'art abstrait" (The language of abstract art), an article he wrote for the exhibition catalogue, Molinari expanded on the ideas expressed in his 1955 article on spatial structure and colour-light in painting. He defined the symbolic function of abstract painting:

For me, the primary plastic reality lies in the structure, that is to say in the dynamic function resulting from the relationship between elements, colour, and plane ... [which] *should be used and integrated in a new symbolic function suited to the development of a new language which will be truly adequate for individual expression, the language of abstract painting ....*

To express "the multiple relationships of the individual with his surroundings" ... a single abstract, authentic method attempts to take stock of, and through new approaches to discover, the structure of this reality, beginning with man's concrete, emotive experience projected into constant development of his relationships with the universe.

As for me, the meaning of my work lies in continued research, through an analytical method, to clarify the basic structure of these forces which compel me to organize pictorial space accord-

23. *La Presse* (Montreal), 17 January 1959.

l'exposition *Art Abstrait*, reprend en partie un schéma apparu dans *Vertical blanc* 1956 (cat. nº 7; ill. p. 68). Sa structure ext cependant rendue beaucoup plus complexe par l'introduction en parallèle des bandes rouges, blanches et oranges. La diagonale du titre s'organise visuellement par les obliques des côtés des bandes et par la correspondance visuelle entre les secteurs oranges et blancs superposés et inversés l'un par rapport à l'autre à gauche et à droite de la composition.

Hors des tableaux noirs et blancs (cat. nºs 5, 6, 7 et 9; ill.) *Diagonale rouge* et *Poly-relationnel* 1958 (cat. nº 10; ill. p. 72) sont parmi les premiers tableaux d'un cycle où l'artiste explore systématiquement le dynamisme visuel des couleurs. Il existe dans chacun des tableaux des vibrations optiques à la rencontre des plans rouge et orange. En modifiant légèrement le rouge de la bande située à droite du centre dans *Diagonale rouge*, Molinari réussit à accentuer le dynamisme de ses vibrations avec le blanc et l'orange qui lui sont contigus.

Diagonale rouge est aussi l'un des premiers tableaux à composante sérielle où la répétition d'une bande d'une même couleur sur différents points de la surface affirme ses diverses qualités énergétiques selon le lieu qu'elle occupe. Molinari y affirmait enfin la possibilité de la multiplicité de lectures simultanées d'une structure visuellement ouverte. Toutes ces découvertes plastiques se retrouvent avec des variantes dans *Équivalence* (cat. nº 12; ill. p. 76) où la présence du jaune clair accentue le dynamisme de la surface.

En janvier 1959, Molinari participa à la création de la revue *Situations* avec Jacques Archambault, Guy Fournier, Jacques Ferron, Michèle Lalonde, Yves Préfontaine et Fernande Saint-Martin. Cette revue d'avant-garde était aussi un autre signal de l'aboutissement d'une longue prise de conscience des milieux intellectuels de Montréal en faveur d'un renouveau.

Molinari publia, au cours de l'année, quatre courts articles dans cette revue, dont l'un était consacré à Kandinsky où il

ing to certain constants, and thus to become aware of the symbolic reality which constitutes my own artistic language.

In describing his inspiration in this way, as an organic impulse, Molinari was taking up again the intuition he had had in his 1952 writing "Projet but absolu" (Ultimate goal), and which he had expressed so concretely in *Emergence II* 1951 (cat. no. 1; ill. p. 59) for example.

The juxtaposing of black and white vertical stripes in *Red Diagonal* 1959 (cat. no. 11; ill. p. 73), which was in the *Art Abstrait* exhibition, partly takes up a scheme which appeared in *White Vertical* 1956 (cat. no. 7; ill. p. 68). However, its structure is rendered much more complex by the introduction of parallel red, white, and orange stripes. The diagonal of the title is formed visually by the oblique edges of the stripes and by the visual correspondence between the orange and white areas superimposed and inverted, one with respect to the other, on the right and left hand sides of the composition.

Aside from the black and white paintings (cat. nos 5, 6, 7, and 9; ill.), *Red Diagonal* and *Poly-Relational* 1958 (cat. no. 10; ill. p. 72) are among the first paintings in a cycle in which the artist explores systematically the visual dynamics of colours. In each of these paintings there are optical vibrations where the red and orange planes meet. By slightly modifying the red in the stripe at the right of centre in *Red Diagonal*, Molinari succeeded in accentuating the dynamic quality of its vibrations with the white and orange on either side.

Red Diagonal is also one of the first serial component paintings; that is, where a stripe of the same colour is repeated at different points on the surface, asserting the various energy qualities of that colour according to its position on the surface. In this painting, Molinari finally confirmed that multiple simultaneous readings could be made of a visually open structure. All of these plastic discoveries are found with variations in *Equivalence* 1959 (cat. no. 12; ill. p. 76), in which the presence of light yellow accentuates the surface dynamism.

établissait un parallèle entre les préoccupations plastiques de celui-ci et celles de Mondrian en contestant qu'il y eut contradiction entre leurs systèmes de pensée et d'expression. Molinari dégagea des analogies entre le souci de chacun d'eux de parvenir à la création d'un langage qui soit proprement pictural. Molinari concluait ainsi: «Il importe pour la compréhension de l'évolution de la peinture abstraite de poser l'œuvre de Kandinsky dans sa vraie perspective, qui est celle non pas d'un expressionnisme romantique mais d'une subordination de l'objet plastique à sa fonction propre. En cela, son œuvre, si elle explore d'autres possibilités, s'inscrit dans la même démarche que celle de Mondrian[24].»

Cette «subordination de l'objet plastique à sa fonction propre», Molinari en avait fait l'une de ses préoccupations les plus urgentes dans son œuvre.

Contrepoint 1960 (cat. nº 14; ill. p. 77) apparaît aujourd'hui comme une synthèse des recherches structurelles de l'artiste depuis 1956. Son centre, fait de la juxtaposition de deux bandes noires encadrant une blanche (comme dans *Vertical blanc* 1956; cat. nº 7), est encadré par des bandes rouges, bleues et jaunes à gauche, et par des bandes jaunes, blanches et rouges à droite. Les rectangles horizontaux noirs, bleus et jaunes de l'extrême gauche et du côté droit sont lus de façon virtuelle comme des lignes horizontales traversant implicitement le champ vertical situé «derrière» les bandes du centre et la rouge de l'extrême droite; l'équilibre dynamique entre les vecteurs horizontaux et verticaux de la structure picturale s'établit à travers le dynamisme des plans de couleurs contrastées. Molinari y prolonge des notions élaborées par Mondrian sur l'équilibre dynamique de la surface du tableau.

Molinari précisait d'autre part, en 1961, ses idées sur Mondrian dans un article intitulé «Réflexions sur l'automatisme

24. *Situations*, t. 1, nº 3, mars 1959, p. 56.

In January 1959, Molinari was involved in the starting of the magazine *Situations*, along with Jacques Archambault, Guy Fournier, Jacques Ferron, Michèle Lalonde, Yves Préfontaine, and Fernande Saint-Martin. This avant-garde magazine was yet another indication of the developing awareness among Montreal intellectuals of the need for renewal.

In the course of the year, Molinari published four short articles in the magazine, one of them devoted to Kandinsky. In this article he established a parallel between the formal concerns of Kandinsky and Mondrian, challenging the view that there was a contradiction between their systems of thought and expression. Molinari pointed out analogies between the concerns each had to arrive at a language which would be properly pictorial. Molinari concluded: "To understand the development of abstract painting, it is important to place Kandinsky's work in its true perspective, which is not that of romantic expressionism but of a subordination of the plastic object to its true function. In this, his work – even if it explores other possibilities – shares the same concerns as Mondrian's."[24]

The "subordination of the artistic object to its true function" became one of the most pressing concerns in Molinari's work.

Counterpoint 1960 (cat. no. 14; ill. p. 77) appears today as a synthesis of the artist's structural research since 1956. Its centre, created by juxtaposing two black stripes framing a white stripe (as in *White Vertical* 1956; cat. no. 7), is framed by red, blue, and yellow stripes on the left, and by yellow, white, and red stripes on the right. The black, blue, and yellow horizontal rectangles at the far left and on the right side are read virtually as horizontal lines implicitly crossing the vertical field located "behind" the centre stripes and the red stripe on the extreme right; the dynamic equilibrium between horizontal and vertical vectors of the pictorial structure is established through the

24. *Situations*, vol. 1, no. 3 (March 1959), p. 56.

et le plasticisme» où il contestait, par ailleurs, certaines notions de Claude Gauvreau sur l'importance historique de l'automatisme montréalais. Molinari définissait sa propre œuvre picturale en continuité historique avec celle de Malevitch, Mondrian et Pollock, tout en résolvant certains problèmes structurels posés par ce dernier:

En utilisant la couleur pure comme élément structural, non comme lumière mais comme énergie, l'on sort de l'impasse que Pollock constituait pour les recherches actuelles de la peinture (cf. mes propres tableaux). Je récuse toute référence à Platon pour ce qui est du plasticisme. Je prétends me référer plus justement aux préoccupations exprimées par Malevitch, en 1919, et qui n'ont pas encore été épuisées: «Je touve que plus on se rapproche du phénomène de peindre, plus les sources (objets) perdent leur caractère systématique et sont brisées, donnant naissance à un autre système selon les lois de la peinture... Un système dans le temps et l'espace se construit. Il ne dépend ni de la beauté esthétique, ni des expériences ni de l'humeur ... en ce moment, la voie de l'homme réside dans l'espace. Le suprématisme est le sémaphore de la couleur... Le suprématisme dans son premier stage possède un mouvement purement philosophique fondé sur la conscience de la couleur; à son deuxième stage, c'est une forme qui peut être réalisée. L'art doit se développer avec les racines de l'organisme, car sa fonction est d'embellir ces racines pour leur donner une forme pour participer à leur immédiateté. J'aimerais être le fabricant des nouveaux signes exprimant mon mouvement intérieur...»[25].

Molinari trouvait chez Malevitch l'écho de ses propres convictions sur la nécessité pour l'art de correspondre à la personnalité intérieure de l'artiste. En même temps, Molinari définissait la couleur comme une forme d'énergie.

25. *Situations*, 3e année, n° 2, mars–avril 1961, p. 68: pour Gauvreau, voir *Situations*, 3e année, n° 1, janvier–février 1961, p. 44–52.

dynamism of the contrasting colour planes. Molinari is here extending the notions on the dynamic equilibrium of the surface of the painting developed by Mondrian.

Molinari defined some of his ideas on Mondrian in 1961, in an article entitled "Réflexions sur l'automatisme et le plasticisme" (Reflections on Automatism and Plasticism); he also took exception to some of Claude Gauvreau's ideas on the historical importance of Montreal Automatism. Molinari defined his own pictorial work as being in historical continuity with that of Malevitch, Mondrian, and Pollock, while resolving certain structural problems raised by the latter:

In using pure colour as a structural element, not as light but as energy, one gets out of the impasse which Jackson Pollock posed for present-day research (cf. my own paintings). I reject all references to Plato as regards Plasticism. I would more rightly claim to refer myself to the concerns expressed by Malevitch in 1919, ideas which have not yet been exhausted: "I find that the closer one comes to the phenomenon of painting, the more the sources (objects) lose their systematic character and are broken, giving rise to another system according to the laws of painting.... A system in time and space is being built up. It does not depend either on aesthetic beauty or on experiences or on mood ... at this time man's path lies in space. Suprematism is the semaphore of colour.... Suprematism, in its first stage, has a pure philosophical movement based on awareness of colour; in its second stage, it is a form which can be realized. Art should develop with the roots of the organism, for its function is to embellish these roots, to give them a form so as to participate in their immediacy. I would like to be the maker of new signs to express my inner movement...."[25]

Molinari found in Malevitch the echo of his own convictions on the need for art to correspond to the inner personality of the

25. *Situations*, 3rd year, no. 2 (March–April 1961), p. 68. For the Gauvreau article, see *Situations*, 3rd year, no. 1 (January–February 1961), pp. 44–52.

Avec *Rectangle rouge* 1960 (cat. nº 15) Molinari reprend essentiellement la structure de *Contrepoint* (cat. nº 14), c'est-à-dire que le centre de la surface est occupé par la juxtaposition d'étroites bandes colorées de mêmes dimensions qui sont encadrées à droite et à gauche par des éléments colorés hétérogènes, dans ce cas-ci deux bandes très larges perçues comme des formes verticales rectangulaires.

Cette notion de la couleur en tant qu'énergie est ici démontrée. Molinari conçoit la surface de *Rectangle rouge* comme le champ du déroulement d'un événement énergétique produit par le dynamisme des couleurs juxtaposées et qui tendent visuellement à s'éliminer les unes les autres pour créer éventuellement un troisième élément – cette surface de couleur virtuelle qui ne peut être actualisée que dans la perception temporelle du spectateur.

L'exposition la plus importante pour Molinari, en 1961, eut lieu en avril (presque simultanément avec sa participation au Salon du printemps), à la Galerie XII du Musée des beaux-arts de Montréal qu'il partagea avec Claude Tousignant qui y exposait des constructions géométriques et des reliefs peints (fig. 9). Elle permit à Yves Lasnier de publier, dans *Le Devoir*, une interview avec les deux artistes. Molinari y résuma son évolution picturale à partir du milieu des années cinquante en la reliant aux recherches stylistiques de ses dessins: «Je crois avoir une plus grande possibilité d'expression en utilisant de nouveau les schèmes plus complexes que j'ai projetés dans mes calligraphies [de 1958], ce qui expliquerait la complexité structurale de mes œuvres actuelles.... Parallèlement à ces recherches calligraphiques, je me suis intéressé de plus en plus aux possibilités intrinsèques de la couleur comme moyen de créer un espace vibratoire – où une même couleur aurait une fonction différente de par sa position dans la structure[26].»

26. *Le Devoir*, 10 avril 1961.

artist. At the same time Molinari defined colour as a form of energy. With *Red Rectangle* 1960 (cat. no. 15) Molinari took up essentially the structure of *Counterpoint* (cat. no. 14). The centre of the surface is occupied by juxtaposed narrow coloured stripes of the same size, framed on the right and left by heterogeneous coloured elements; in this case, two very wide stripes which are perceived as vertical rectangular forms. This notion of colour as energy is demonstrated here. Molinari conceives the surface of *Red Rectangle* as a field on which energy is being produced by the dynamism of juxtaposed colours which visually tend to eliminate each other and create eventually a third element – this surface of virtual colour which becomes a reality only in the viewer's temporal perception.

Molinari's most important exhibition in 1961 took place in April (almost simultaneously with his participation in the *Annual Spring Exhibition*) in Gallery XII of the Montreal Museum of Fine Arts, an exhibition he shared with Claude Tousignant who was exhibiting painted geometric constructions and reliefs (fig. 9). The exhibition occasioned an interview with the two artists by Yves Lasnier in *Le Devoir*. Molinari discussed his pictorial evolution from the mid-fifties on, linking it to the stylistic explorations in his drawings: "I believe I have a greater opportunity of expression in reusing the more complex schemes shown in my calligraphies [of 1958], which would explain the structural complexity of my present work.... Parallel to these explorations in calligraphy, I have become more and more interested in the intrinsic potential of colour as a means of creating a vibratory space, in which the same colour would have a different function according to its position in the 'structure.'"[26]

Molinari could not have demonstrated better, or with more severity of style, the presence of this vibratory space and the

26. *Le Devoir* (Montreal), 10 April 1961.

Figure 9
L'exposition *Guido Molinari–Claude Tousignant*, à la Galerie XII du Musée des beaux-arts de Montréal, du 7 au 23 avril 1961. Au premier plan et à gauche, sur le mur du fond, une sculpture et un relief de Tousignant; à droite, *Contrepoint* 1960 de Molinari (cat. n° 14)

Figure 9
The exhibition *Guido Molinari–Claude Tousignant*, held at the Montreal Museum of Fine Arts, Gallery XII, 7–23 April 1961. Against the back wall, on the left, a sculpture and a relief by Tousignant, and on the right, *Counterpoint* 1960 by Molinari (cat. no. 14)

Molinari n'aurait pu mieux démontrer, et avec plus d'austérité, l'existence de cet espace vibratoire et les différentes fonctions de deux tons d'une même couleur que dans *Espace jaune* 1961 (cat. nº 16). Il y créait, par la position de bandes de largeurs inégales sur la surface de la toile, ce dynamisme vibratoire dont il était question dans l'interview.

Ce concept est articulé de façon plus complexe dans *Hommage à Jauran* 1961 (cat. nº 17; ill. p. 80), où la surface est structurée par la répétition de quatre couleurs, juxtaposées dans les lieux différents de la surface. Ici encore le dynamisme de la juxtaposition des bandes noires et blanches donnent (à l'instar de *Contrepoint* 1960, *Équivalence* 1959, *Diagonale rouge* 1959, et *Vertical blanc* 1956) comme le ton de l'intensité des vibrations.

Carré noir 1961 (cat. nº 18; ill. p. 81) et *Monolithique rouge* 1961 (cat. nº 19; ill. p. 84) inversent la composition de *Rectangle rouge* en se servant de bandes étroites des deux côtés de la surface comme pour contenir l'énergie du rectangle du centre. Ces deux tableaux représentent une tentative de défocalisation extrême: Molinari place sur les côtés de la toile les bandes verticales étroites, de sorte que le centre devient une surface de couleur pure dont les limites, gauche et droite, seulement peuvent vibrer.

Asymétrique rouge 1961 (cat. nº 20; ill. p. 85) est la synthèse de ces deux tendances centripètes et centrifuges puisque les bandes larges et les bandes étroites y sont juxtaposées, et ont une valeur énergétique égale. Molinari y introduit d'autre part un concept structurel qu'il développera avec une grande virtuosité quelques années plus tard, celui de la bi-sérialité, et pose clairement le problème des contradictions suscitées par la juxtaposition de deux ensembles d'éléments en apparence identiques.

De gauche à droite, un premier ensemble, fait d'une bande jaune, suivie d'une rouge puis d'une bleue, est juxtaposé, à partir du centre du tableau, à un second ensemble constitué exactement des mêmes éléments. Cette juxtaposition même, dès qu'elle est percue dans le champ visuel, détruit immédiatement

different functions of two shades of the same colour than in *Yellow Space* 1961 (cat. no. 16). Here, he created, through the positioning of stripes of unequal width on the surface of the canvas, the vibratory dynamics to which he was referring in the interview. This concept is articulated in a more complex manner in *Homage to Jauran* 1961 (cat. no. 17; ill. p. 80), in which the surface is structured by the repetition of four colours juxtaposed in different places on the surface. Here again, the dynamism of the juxtaposed black and white stripes (as in *Counterpoint* 1960, *Equivalence* 1959, *Red Diagonal* 1959, and *White Vertical* 1956) sets the tone of the intensity of the vibrations.

Black Square 1961 (cat. no. 18; ill. p. 81) and *Red Monolithic* 1961 (cat. no. 19; ill. p. 84) reverse the composition of *Red Rectangle* by using narrow stripes on both sides of the surface to contain the energy of the rectangle in the centre. These two paintings represent an attempt at extreme defocusing: Molinari places narrow vertical stripes at the sides of the canvas in such a way that the centre is perceived as an area of pure colour only, of which only the right and left borders can vibrate.

Red Asymmetrical 1961 (cat. no. 20; ill. p. 85) is the synthesis of these two tendencies, centripetal and centrifugal, in which the wide and the narrow stripes are juxtaposed and have an equal energy value. On the other hand, Molinari introduces a structural concept which he is to develop with greater virtuosity some years later, the concept of bi-seriality, and clearly poses the problem of the contradictions raised by juxtaposing two groups of elements that are identical in appearance. A first group, made from left to right of a yellow band followed by a red and blue, is juxtaposed, beginning at the centre of the painting, with a second group made up of exactly the same elements. This very juxtaposition, as soon as it comes into the field of vision, immediately destroys this order and just as quickly modifies the colours in such a way that neither of the series of stripes can really be perceived as identical. From this confrontation of the two elements absolutely identical in quantity (width

cet ordre et modifie tout aussi rapidement ces couleurs de sorte que ni l'une ni l'autre série ne peuvent véritablement être perçues comme étant identiques. De cet affrontement de deux éléments de quantité (largeur des bandes) et de qualité (couleur des bandes) absolument identiques surgit un troisième élément qui est le tableau tout entier, transformé en un événement de vibrations énergétiques visuel et temporel par le système de perception de chacun des spectateurs.

En avril – mai 1962, Molinari participa au 79ᵉ Salon du printemps du Musée des beaux-arts de Montréal et *Opposition rectangulaire* lui valut le prix du jury pour la peinture[27]. Ce prix de $250 était plus important par sa valeur publicitaire que financière et permit d'attirer l'attention du public sur le travail de l'artiste. Il fut accueilli comme un triomphe pour la peinture abstraite géométrique et comme un signal, enfin, de l'acceptation par le public montréalais de l'abstraction en général: «Jamais encore l'art non-figuratif n'a dominé aussi nettement l'exposition qu'il le fait cette année», écrivait Evan H. Turner, le directeur du Musée des beaux-arts de Montréal, dans la préface du catalogue.

Le critique Jean Sarazin déclara à son tour: «Voilà, depuis longtemps, le premier Salon du printemps vraiment intéressant! On respire dès qu'on entre dans ces salles du Musée des beaux-arts. Vivant, jeune, dynamique, plein de promesse d'avenir, tout en devenir, voilà le Salon de cette année. Il faut le marquer d'une pierre blanche[28].»

Dans l'enthousiasme général, Robert Millet avec un article[29] et Claude Jasmin avec une longue interview[30] visaient tous deux

27. Les membres du jury étaient Paul Arthur, Ronald L. Bloore, Jack Bush, John Fox et Agnès Lefort.
28. *Le Nouveau Journal*, 14 avril 1962.
29. *Le Nouveau Journal*, 7 avril 1962.
30. *La Presse*, 14 avril 1962.

of stripes) and quality (colours of stripes), a new third element arises: the entire painting, transformed into an event of visual and temporal energy vibrations through each viewer's system of perception.

In April and May 1962, Molinari participated in the *79th Annual Spring Exhibition* of the Montreal Museum of Fine Arts, and his painting, *Rectangular Opposition*, won the Jury prize for painting.[27] This prize – $250 – had more publicity value than monetary value. It drew the public's attention to the artist's work, and was welcomed as a triumph for geometric abstract painting and a signal that the Montreal public had finally accepted abstract art in general: Evan H. Turner, Director of the Museum of Fine Arts, in the preface to the catalogue, wrote: "Never has non-representational art dominated the exhibition as exclusively as it does this year."

The critic Jean Sarazin stated in turn: "The first really interesting Spring Salon in a long time! Just entering the exhibition hall at the Museum of Fine Arts is like a breath of fresh air. Lively, young, dynamic, full of promise for the future; all in motion, it will become something great. That's this year's Salon. It's a red letter day.[28]

Amidst the general enthusiasm, Robert Millet in an article[29] and Claude Jasmin in a long interview[30] both aimed at giving the public a sympathetic view of the artist's personality. And Molinari, faithful to his earlier convictions about the need to promote a place which would be an activity centre for Montreal artists, which had led him to open l'Actuelle, took advantage of the interview with Jasmin to stress the idea of creating a museum

27. The jury was made up of Paul Arthur, Ronald L. Blöore, Jack Bush, John Fox, and Agnès Lefort.
28. *Le Nouveau Journal* (Montreal), 14 April 1962.
29. *Le Nouveau Journal* (Montreal), 7 April 1962.
30. *La Presse* (Montreal), 14 April 1962.

à donner au public une idée sympathique de la personnalité de l'artiste.

Molinari, fidèle à ses convictions d'antan sur la nécessité de promouvoir un lieu qui fut un centre d'activité pour les artistes montréalais et qui l'avaient conduit à la fondation de l'Actuelle, profita de l'interview avec Jasmin pour appuyer l'idée de la création d'un musée d'art contemporain: «Écoutez, je vais partir en guerre bientôt. C'est épouvantable. Malgré tous les talents qui s'affirment à Montréal, nous n'avons pas encore un musée d'art contemporain. Il faut combler cette lacune au plus tôt. Ce musée d'art moderne s'impose, je suis d'accord avec l'article de Simard à ce sujet. C'est une nécessité à Montréal, bouillon fervent d'art actuel. L'État du Québec et la Métropole du Canada, Montréal, devraient y voir au plus tôt! ... Le secteur privé devrait y collaborer aussi[31].»

En septembre de la même année Molinari participa, à la Galerie Camino de New York, à une exposition intitulée *Geometric Abstraction in Canada*, avec Jean Goguen, Denis Juneau et Luigi Perciballi, et qui se voulait être le pendant d'une exposition d'abstraction géométrique américaine qui se tenait au Musée Whitney de New York.[32] L'exposition et l'artiste se virent accorder quelques lignes sympathiques dans *Art News* de mai 1962: «Molinari a spécialement comme Albers un sens des rapports entre les couleurs et de l'activité visuelle intense qui peut naître de l'ajustement subtil de formes précises et rectilignes[33].»

31. Inauguré officiellement le 12 juillet 1965 par Pierre Laporte, ministre des Affaires culturelles, le Musée d'Art Contemporain avait ouvert ses portes le 19 mars 1965 avec l'écrivain, le peintre et le critique Guy Robert comme premier directeur. Sa nomination n'avait pas été accueillie sans heurts et Molinari, en tant que président de «l'Association des Arts Plastiques» qui réunissait une vingtaine d'artistes, avait même demandé sa démission à cause, entre autres, de son «indéniable manque d'expérience en muséologie». (Voir *La Presse*, 12 mars 1965.)
32. Gordon (John): *Geometric Abstraction in America*, New York, Praeger 1962, for the Whitney Museum.
33. *Art News*, t. 61, n° 3, mai 1962, p. 19.

of contemporary art: "Listen, I'm going to fight over this. It's terrible! In spite of all the talent showing itself around Montreal, we still don't have a museum of contemporary art. We have to fill this gap as soon as we can. We need a museum of modern art – I agree with Simard's article on the subject. It's needed in Montreal – this is a hotbed of present-day art. The State of Quebec and the city of Montreal – the Metropolis of Canada – should see to it as soon as possible!... The private sector ought to collaborate on it too."[31]

In September of the same year, Molinari took part in an exhibition at the Camino Gallery in New York, along with Jean Goguen, Denis Juneau, and Luigi Perciballi. The exhibition, entitled *Geometric Abstraction in Canada*, was organized as a counterpart to an exhibition of American Geometric Abstraction being held at the Whitney Museum in New York.[32] The exhibition and the artist were given a brief, favourable notice in the May 1962 *Art News*: "Molinari especially has an Albers-like sense of colour relation and of the intense visual activity that can be generated by subtle adjustments of precise rectilinear forms."[33] Although at that time Molinari was not particularly interested in Albers' painting, he was just as fascinated as him by the problems raised by the dynamism of colour.[34]

In the summer of 1962, Molinari took part in an exhibition

31. The Musée d'Art Contemporain, officially inaugurated on 12 July 1965, by Pierre Laporte, Minister of Cultural Affairs, actually opened on 19 March 1965, with the writer, painter and critic Guy Robert as its first director. His appointment did not meet with unanimous approval: Molinari as chairman of the Association des Arts Plastiques, a group of about twenty artists, even demanded Robert's resignation, citing – among other reasons – his "utter lack of experience in museology." See *La Presse* (Montreal), 12 March 1965.
32. John Gordon, *Geometric Abstraction in America* (New York: Praeger, 1962), for the Whitney Museum.
33. *Art News*, vol. 61, no. 3 (May 1962), p. 19.
34. Ten years later, he was to discuss the importance of Albers' ideas in a lecture at the Université du Québec, in Montreal (14 March 1974).

Bien qu'à cette époque Molinari ne s'intéressait pas particulièrement à la peinture d'Albers, il était tout aussi fasciné que celui-ci par les problèmes posés par le dynamisme de la couleur[34].

Toujours en 1962, Molinari participa pendant l'été au festival de Spolète, en Italie, à l'exposition *La Peinture Canadienne Moderne, 25 années de peinture au Canada-français* organisée par Charles Delloye, alors conseiller technique de la Délégation du Québec à Paris pour les arts plastiques.

Cette exposition fut la première manifestation culturelle d'envergure du gouvernement du Québec à l'étranger après que le gouvernement Lesage, fidèle à sa politique réformiste et à son désir de sortir Québec de son isolement, eut établi d'une part un ministère des Affaires culturelles à Québec et d'autre part une Délégation Générale à Paris[35].

L'exposition était la première rétrospective de la peinture québécoise depuis le début des années quarante; trente artistes, dont Borduas, Pellan et Riopelle, y figuraient. En déclarant qu'elle avait été organisée «sous le signe de l'abstraction», Charles Lussier confirmait cette victoire de l'art abstrait proclamée lors du récent Salon du printemps. Le catalogue avait été conçu comme une véritable histoire de la peinture québécoise des vingt-cinq dernières années. Il s'agissait de la première tentative sérieuse de décrire l'évolution de la peinture à partir de Pellan et des automatistes.

Le mouvement plasticien était représenté par les oeuvres de cinq artistes: Jean Goguen, Denis Juneau, Fernand Toupin, Claude Tousignant, et Molinari. Cinq tableaux de 1954 à 1961

34. Il discutera, dix ans plus tard, de l'importance des données posées par Albers dans le texte de sa conférence du 14 mars 1974, à l'Université du Québec de Montréal.

35. *La Peinture Canadienne Moderne, 25 années de peinture au Canada-français*, Spolète (Italie), Palazzo Collicola, 26 juin – 23 août 1962, *5° Festival Dei Due Mondi* (catalogue d'exposition), p. 8.

entitled *La Peinture Canadienne Moderne, 25 années de peinture au Canada-français*, organized for the festival at Spoleto, Italy, by Charles Delloye, then Technical Counsellor in the visual arts for the Quebec Delegation to Paris. This exhibition was the first important cultural manifestation abroad by the Quebec government, following the establishment by the Lesage government of the Department of Cultural Affairs in Quebec City and the General Delegation in Paris, in line with its reform policies and its desire to bring the province out of isolation.[35]

The exhibition was the first general retrospective of Quebec painting from the early forties on, and thirty artists, including Borduas, Pellan, and Riopelle, were included; in stating that the exhibition had been organized with "abstract art as the keynote," Charles Lussier confirmed the victory of abstract art which had been proclaimed at the recent *Spring Salon*. The catalogue had been conceived as a veritable history of painting in Quebec during the previous twenty-five years; it was the first serious attempt to describe the development of painting from the time of Pellan and of the Automatists. The *Plasticien* movement was represented by the work of five artists: Jean Goguen, Denis Juneau, Fernand Toupin, Claude Tousignant, and Molinari. Five of Molinari's paintings from 1954 to 1961 were exhibited, including *Juxtaposition* 1954 (cat. no. 2) which was being shown for the first time. A small retrospective of the same type, with 13 paintings and drawings, was organized in October and November of the same year at the Galerie Nova et Vetera of the Collège de Saint-Laurent in Ville Saint-Laurent (fig. 10).

It was in 1962 that Molinari did a few paintings (parallel to his serial experiments with vertical stripes) in which he introduced formal problems linked to the representation of closed structures in opposition to open structures. In *Red Space No. 2*

35. *La Peinture Canadienne Moderne, 25 années de peinture au Canada-français*, Palazzo Collicola, Spoleto, Italy, 26 June–23 August 1962, *5° Festival Dei Due Mondi* (exhibition catalogue), p. 8.

représentaient ce dernier; *Juxtaposition* 1954 (cat. nº 2) était exposé pour la première fois.

Une petite rétrospective du même type, avec treize tableaux et dessins, fut organisée en octobre–novembre de la même année, à la Galerie Nova et Vetera du Collège de Saint-Laurent à Ville Saint-Laurent (fig. 10).

C'est en 1962 que Molinari fit, parallèlement à ses recherches sérielles avec des bandes verticales, quelques tableaux où il introduisit des problèmes formels liés à la représentation de structures fermées en opposition à des structures ouvertes. Avec *Espace rouge nº 2* 1962 (cat. nº 21), Molinari utilisait deux couleurs de tonalité proche, un orange et un rouge, pour présenter deux structures rectangulaires parallèles sur un champ uniforme.

Du 30 décembre 1962 au 19 janvier 1963, Molinari tint sa première exposition individuelle à l'extérieur de Montréal. Elle eut lieu à la Galerie East Hampton, à New York, où déjà il avait rencontré le directeur lors de son exposition en groupe à la Galerie Camino. Il y présenta neuf tableaux dont *Hommage à Jauran* (cat. nº 17), *Carré noir* (cat. nº 18) et *Espace bleu nº 1* (cat. nº 22). Cette exposition lui valut deux brèves critiques: l'une sympathique de Jill Johnson, qui écrivait: «La pureté recherchée par le hard-edge est rendue absolue (et plutôt sensuelle en même temps) par l'alignement des bandes verticales et l'intensité des couleurs en aplats[36]», et l'autre, de Sydney Tillim, curieusement agressif, qui accusait Molinari de présomption, comparaît ses tableaux à des auvents et lui reprochait d'envahir le territoire de Barnett Newman avec *Espace bleu*[37].

L'exposition la plus importante de l'année 1964 fut pour

36. *Art News*, t. 61, nº 9, janvier 1963, p. 18.
37. *Arts Magazine*, t. 37, nº 5, février 1963, p. 54. Bien malgré lui, Tillim ouvrait un débat au sujet de l'influence de Barnett Newman sur Molinari qui n'allait être réglé que presque dix ans plus tard.

1962 (cat. no. 21), Molinari used two colours very close in tone, an orange and a red, to present two parallel rectangular structures on a uniform field.

From 30 December 1962 to 19 January 1963, Molinari held his first solo exhibition outside of Montreal, at the East Hampton Gallery in New York (he had met the gallery director during the exhibition at the Camino). He exhibited nine paintings, among them *Blue Space No. 1* 1962 (cat. no. 22) *Homage to Jauran* (cat. no. 17) and *Black Square* (cat. no. 18). This exhibition received two brief reviews; one of them a favourable mention by Jill Johnson, who wrote: "The purity sought for in the Hard Edge is here made absolute (and somehow sensual at the same time) by the aligned vertical stripes and the flat intensity of color."[36] The other was by Sydney Tillim, who in a curiously aggressive tone accused Molinari of being presumptuous, compared his paintings to awnings, and criticized him for invading Barnett Newman's territory with *Blue Space*.[37]

Molinari's most important exhibition of 1964 was a retrospective presented in March at the Norman Mackenzie Art Gallery in Regina, and then at the Vancouver Art Gallery in April and May. It brought together 14 paintings, among them *Black Angle* (cat. no. 6), *Yellow Space* (cat. no. 16) and *Homage to Jauran* (cat. no. 17). The catalogue for this exhibition gave Molinari an opportunity to clarify his previous opinions on the functions of his painting and to return to this fundamental intuition which was his own since 1952: to do paintings which would correspond biologically to his intuition of reality and which by their very structure would define time and space. This

36. *Art News*, vol. 61, no. 9 (January 1963), p. 18.
37. *Arts Magazine*, vol. 37, no. 5 (February 1963), p. 54. Very much in spite of himself, Tillim sparked a debate on the subject of Barnett Newman's influence on Molinari, a debate which was only settled nearly ten years later.

Molinari une rétrospective présentée en mars par la Norman Mackenzie Art Gallery de Regina, puis montrée à la Vancouver Art Gallery en avril–mai. Elle rassemblait quatorze tableaux dont *Angle noir* (cat. nº 6), *Espace jaune* (cat. nº 16) et *Hommage à Jauran* (cat. nº 17). Le texte du catalogue de cette exposition lui permit de clarifier ses prises de position antérieures quant aux fonctions de sa peinture et de revenir à cette intuition fondamentale qui avait déjà été sienne dès 1952, de faire une peinture qui corresponde biologiquement à son intuition de la réalité et qui, par sa structure même, définisse le temps et l'espace. Cette structure issue de la «synthèse entre les dynamismes de durée et les dynamismes chromatiques» allait selon lui, permettre «l'émergence d'une nouvelle réalité spatiale», à l'intérieur du temps de la perception de l'œuvre par le spectateur.

L'agrandissement de son atelier en janvier 1964 par la démolition du mur qui séparait la cave du garage attenant à sa maison à Ville Saint-Laurent, où il habitait depuis 1962, eut des conséquences très importantes sur son œuvre. Il pouvait maintenant se permettre de faire des tableaux beaucoup plus larges et d'actualiser en quelque sorte cette nouvelle réalité spatiale en lui donnant une échelle considérablement agrandie comme en témoigne immédiatement *Espace bleu-ocre* 1964 (cat. nº 28), fait en février, et dont les larges bandes de couleurs juxtaposées créent entre autres un champ visuel aux dimensions de l'environnement.

Mutation vert-rouge (cat. nº 29), peint en juin, ainsi que *Quadruple mutation* (cat. nº 30), peint en septembre, explorent le même type de rapports entre des séries quoiqu'avec des couleurs différentes. Dans chacun d'eux, une série de trois bandes de couleur est posée sur la gauche du tableau, puis répétée une fois (dans le premier tableau) et deux fois (dans le second); cette série se défait ensuite lorsqu'elle atteint le côté droit du tableau puisque seules apparaissent les deux premières bandes. Le spectateur est automatiquement amené, par le mécanisme de lecture

Figure 10
L'exposition *Guido Molinari*, à la Galerie Nova et Vetera du Collège de Saint-Laurent, Ville Saint-Laurent, du 18 octobre au 8 novembre 1962. Sur le mur du fond, à gauche du centre, *Vertical blanc* 1956 (cat. nº 7)

Figure 10
The exhibition *Guido Molinari* held at the Galerie Nova et Vetera, Collège de Saint-Laurent, Ville Saint-Laurent, 18 October to 8 November 1962. On the back wall, left of centre, *White Vertical* 1956 (cat. no. 7)

déjà en marche, à présumer que la troisième, celle qui a «disparu», aurait été la même et non une autre si la série avait continué.

Ce type de lecture privilégie en même temps la deuxième bande de couleur qui, sur l'extrême droite du tableau, a perdu cette troisième couleur qui la contenait sur sa droite dans ses apparitions précédentes. Le spectateur la privilégie à son tour et en fait finalement l'élément qui marque le rythme de la lecture de toute composition: c'est la couleur dont les mutations provoquées par les autres couleurs qui lui sont contiguës seront inévitablement les moins prévisibles parce qu'interrompues en dernier ressort.

Le prix qu'il remporta au Salon du printemps de 1965 (avec *Mutation brun-rouge*) valut à Molinari une entrevue dans *Le Devoir* où il établit pour la première fois des parallèles entre la littérature et sa propre peinture. Répondant à une question sur l'existence des rapports entre la peinture et la littérature, Molinari déclara:

> *Pratiquant moi-même la poésie depuis quelques années, je cherche continuellement ces rapports. Il en existe sûrement et parfois j'en arrive même, sur le plan de l'expérience, à faire coïncider l'un et l'autre. Ce sont deux voies différentes quant à l'expérience mais visant un même but. Comme en peinture, je rejette en poésie et en littérature, toute forme de dualité. Je recherche l'unité et l'immanence ... une vision conceptuelle. Le tableau, par exemple, ne doit ni représenter, ni traiter de l'objet mais il doit tenter au contraire, de devenir lui-même objet, de même qu'en littérature et en poésie, le roman et le poème doivent tenter de devenir l'objet en soi... La forme est infinie, illimitée, c'est une permutation continuelle. L'espace est une forme en soi et l'espace est, par conséquent, une mutation illimitée... Le langage en général, est le véhicule de la pensée; la peinture, pas. Elle accomplit en soi la pensée en ce qu'elle devient le véhicule de l'expérience, de l'action accomplie. Par le langage poétique, le*

structure resulting from the "synthesis between the dynamics of duration and chromatic dynamics" would, according to Molinari, allow "a new spatial reality to emerge" within the viewer's perception time span.

The enlargment of Molinari's studio in January 1964 – accomplished by knocking down the wall separating the cellar from the garage attached to his house in Ville Saint-Laurent, where he had been living since 1962 – had very important consequences for his painting. He was now able to do much wider canvases and, as it were, to give form and substance to this new spatial reality, by rendering it on a considerably enlarged scale, as is immediately demonstrated by *Blue-Ochre Space* 1964 (cat. no. 28), completed in February, in which the wide juxtaposed colour stripes create, amongst other things, a visual field equal in size to its surroundings – its "environment."

Green-Red Mutation (cat. no. 29), painted in June, and *Quadruple Mutation* (cat. no. 30), done in September, explore the same type of relationships between series, although with different colours. In each of them, a series of three colour stripes is placed at the left of the painting, then repeated once (in the first painting) or twice (in the second); the series is interrupted when it reaches the right hand side of the painting, since only the first two stripes appear. The viewer is automatically led by the "reading" mechanism, already in operation, to presume that the third stripe, the one which has "disappeared," would have been the same colour, and not a different colour, if the series had continued. This type of reading also favours the second stripe of colour, which on the far right of the painting has lost the third colour which flanked it in its previous appearances. The viewer favours it in turn, and it finally becomes the element which sets the rhythm for reading the whole composition; it is the colour, whose mutations provoked by the other colours contiguous to it, which will inevitably be the least predictable, since they finally are interrupted.

poète peut aussi accomplir la pensée, comme le peintre, en ce sens que pour lui le mot prend sa forme totale, ses multiples sens et perd, de ce fait, sa propre identité-objet: il devient objet en soi. La couleur est à la peinture ce que le mot est à la poésie. C'est la raison pour laquelle je ne travaille pas la forme (qui est un accomplissement immanent), mais la couleur qui détermine la forme. J'établis le même parallèle en poésie et dans tous les autres médiums également. En perdant son identité, le mot atteint sa pleine valeur, comme l'a si bien démontré Mallarmé[38].

En mars de la même année, Molinari avait fait, pour le professeur Robert Welsh de l'Université de Toronto qui préparait un article sur Mondrian pour la revue *Canadian Art*, une analyse de l'œuvre de celui-ci, où il déclarait avoir toujours été plus intéressé par les implications théoriques de son œuvre que par son aspect visuel.

En concluant son analyse de l'œuvre de Mondrian, Molinari en venait à cette conclusion au sujet de sa propre peinture: «Voulant éliminer ce conflit entre l'objet et l'espace, tout autant que les rapports expressionnistes entre les diverses proportions, j'en suis venu à utiliser des éléments qui sont semblables dans leur quantité (la largeur des bandes) et qui dépendent uniquement de leurs fonctions qualitatives acquises par la mutation particulière d'une couleur donnée dans une séquence rythmique. La complexité de ce rythme structurel permet la création de l'illusion de l'espace[39].»

Dans leur asymétrie, les tableaux de cette période comme *Mutation athématique orange-vert* (cat. n° 31) ou *Mutation rythmique n° 9* (cat. n° 33; ill. p. 93) exemplifient clairement cette prise de position stylistique. Sa participation à l'exposition *The Responsive Eye* au Musée d'Art Moderne de New York

38. *Le Devoir*, 8 avril 1965. Molinari continuera d'ailleurs cette réflexion dans son texte intitulé «L'écrivain a des antennes», *Liberté*, t. 11, n°s 3–4 (mai-juin-juillet 1969), p. 115–119.

39. *Statement on Mondrian*, manuscrit, mars 1965.

The prize Molinari won in the 1965 *Annual Spring Exhibition* (for *Brown-Red Mutation*) occasioned an interview in *Le Devoir* in which, for the first time, he established parallels between literature and his own painting. Replying to a question on the existence of relationships between painting and literature, he stated:

Having written poetry myself for several years, I am continually searching for these relationships. They certainly exist, and at times I even manage to have them coincide on an experimental level. They are experiences which follow two different paths, but the goal is the same. I reject in poetry or literature, just as I do in painting, any form of duality. I am seeking unity and immanence – a conceptual view. Painting, for example, should neither represent nor deal with the object, but on the contrary should attempt to become an object itself, just as in literature and poetry the novel and the poem should attempt to become objects in themselves.... Form is infinite, unlimited, a continual permutation. Space is a form in itself, and space is consequently an unlimited mutation.... Language in general is a vehicle for thought; painting isn't. It accomplishes thought by itself, in that it becomes the vehicle for experience, for the accomplished action. Through poetic language the poet can also accomplish thought, just as the painter can, in the sense that for him the word takes on its total shape and multiple meanings, and thereby loses its object-identity – it becomes an object in itself. Colour is to painting what the word is to poetry. That is the reason why I do not work on the form (which is an immanent accomplishment) but the colour which determines the form. I establish the same parallel in poetry and in all other mediums equally. By losing its identity, the word attains the full value, as was shown so well by Mallarmé.[38]

38. *Le Devoir* (Montreal), 8 April 1965. Molinari continued this line of thought in an article entitled "L'écrivain a des antennes" in *Liberté*, vol. 11, nos 3–4 (May–June–July 1969), pp. 115–119.

pendant l'hiver 1965, avec *Mutation vert-rouge* 1964 (cat. n° 29), signifiait pour Molinari une reconnaissance de l'originalité de son apport au langage pictural contemporain.

Dans un article publié en janvier 1966, Molinari insistait encore une fois sur la nécessité de construire un nouvel espace exclusivement pictural qui corresponde à «la réalité émotionnelle du Monde intérieur» sans chercher à reproduire les structures du monde extérieur comme selon lui le faisaient le pop art, le «colour painting» et la peinture optique[40].

Les tableaux qu'il fit en 1966 lui permirent d'élaborer cette construction d'un nouvel espace pictural à travers des permutations de plus en plus complexes des bandes de couleur sur la surface, comme en témoignent *Mutation quadri-violet* (cat. n° 34), *Mutation sérielle avec bande noire* (cat. n° 35) et *Mutation rythmique rouge-orange* (cat. n° 36).

L'exposition *Sculpture* 67, tenue à Toronto pendant l'été, fut pour Molinari l'occasion de réaliser, avec *Hommage à Samuel Beckett* 1967 (fig. 11), certaines de ses idées sur la couleur et l'espace visuel dans un espace réel.

C'est en 1965, à la suite de contacts fréquents avec Barnett Newman et Robert Murray à New York, que Molinari avait repris son activité de sculpteur abandonnée depuis sa participation à l'exposition *La Place des Artistes* en 1953 avec une sculpture qui avait tant étonné la critique; il présenta cette année-là une sculpture en bois peint aux Concours Artistiques du Québec. Il fit ensuite, en 1966, plusieurs sculptures en plexiglas dont la transparence semblait nier le support matériel de la couleur. Ces tentatives de projection de la couleur dans l'espace sans support matériel opaque se terminèrent en 1968–69, par la construction de plusieurs colonnes lumineuses faites de centaines d'ampoules électriques colorées qui, une fois allumées, définissaient

40. *Canadian Art*, t. XXIII, n° 1, livraison n° 100, janvier 1966, p. 63.

In March of the same year, Molinari did an analysis of Mondrian's paintings for Robert Welsh of the University of Toronto who was preparing an article on Mondrian for *Canadian Art* magazine. Molinari stated that he had always been more interested in the theoretical implications of Mondrian's work than in its visual aspect.

In his analysis of Mondrian's work, Molinari came to this conclusion about his own painting: "Wishing to eliminate the conflict between object and space, as well as the expressionist interplay of various proportions, I have come to use elements which are alike in quantity (the width of the stripes) and which rely solely on the qualitative function acquired through the particular mutations of a given colour in a rythmical sequence. The complexity of this structural rhythm is the only means to the creation of the illusion of space."[39]

The paintings of this period, such as *Orange-Green Athematic Mutation* 1965 (cat. no. 31) or *Rhythmic Mutation No. 9* 1965 (cat. no. 33; ill. p. 93), exemplify this position quite clearly within their asymmetry. Molinari's participation in the exhibition *The Responsive Eye*, at The Museum of Modern Art in New York in the winter of 1965, where he exhibited *Green-Red Mutation* 1964 (cat. no. 29), marked for him a recognition of the originality of his own contribution to contemporary pictorial language.

In an article published in January 1966, Molinari once again insisted upon the need to construct a new, exclusively pictorial space which would correspond to "the emotional reality of the internal world," without attempting to reproduce the structures of the external world, as in Molinari's view was being done by Pop Art, Colour Painting and Optical Painting.[40] In the paintings he did in 1966, Molinari developed this construction of a

39. *Statement on Mondrian*, manuscript, March 1965.
40. *Canadian Art*, vol. XXIII, no. 1, issue no. 100 (January 1966), p. 63.

Figure 11
Hommage à Samuel Beckett 1967
Peinture uréthane sur acier. Quatre éléments de 304,7 x 76,2 x 76,2 cm (120 x 30 x 30 po) chacun
Installée dans le Parc de la Place de la Confédération, Ottawa
GALERIE NATIONALE DU CANADA, OTTAWA

Figure 11
Homage to Samuel Beckett 1967
Urethane on stainless steel. Four elements, each 304.7 x 76.2 x 76.2 cm (120 x 30 x 30 in.)
Installed in Confederation Park, Ottawa
THE NATIONAL GALLERY OF CANADA, OTTAWA

physiquement la couleur en tant que phénomène lumineux se projetant sur l'espace ambiant.

Configuration 1969, une sculpture faite de quatre parallélépipèdes de six pieds sur un pied, aux couleurs différentes – bleu, jaune, rouge, vert – avait servi de point de départ à *Hommage à Samuel Beckett*. Dans cette sculpture Molinari posait la possibilité de l'intégration d'un espace virtuel créé par la perception des plans de couleurs par le spectateur, à un espace réel dans lequel celui-ci se trouvait physiquement.

Dans son texte fait à partir d'une entrevue enregistrée en mars 1967, Molinari faisait un parallèle entre l'espace, le temps et la couleur dans sa peinture et sa sculpture, pour en arriver à conclure que l'espace n'existait pas en dehors du trajet perceptif du spectateur: ainsi la perception de chacune des colonnes de *Hommage à Samuel Beckett* modifiait inévitablement son expérience du temps et de l'espace[41].

Molinari publia dans le catalogue de l'exposition *Statements 18 Canadian Artists*, tenue à Regina en novembre–décembre 1967, un texte où il continuait sa discussion du sens de ses rapports avec l'œuvre et les idées de Mondrian. Molinari soutenait que Mondrian, à la suite de Malevitch et Delaunay, n'avait pas réussi à éliminer le dualisme de la forme et du fond, et avait maintenu intacte sa notion de l'équilibre dynamique.

Molinari décrivait sa propre évolution comme lui ayant permis d'atteindre à travers la sérialisation complète des éléments du tableau, «un continuum d'espace-temps incessamment renouvelé».

En effet, l'emploi des bandes verticales de couleurs de mêmes dimensions sur toute la surface du tableau permettait de transformer celui-ci dans son ensemble en un événement où le spectateur apportait, à travers sa perception, le facteur temporel

41. *Sculpture* 67, Ottawa, Galerie nationale du Canada, été 1967 (catalogue d'exposition), p. 18.

new pictorial space through increasingly complex combinations of colour stripes on the canvas, as is seen in *Quadri-Violet Mutation* (cat. no. 34), *Serial Mutation with Black Band* (cat. no. 35) and *Red-Orange Rhythmic Mutation* (cat. no. 36).

The *Sculpture 67* exhibition held in Toronto during the summer gave Molinari an opportunity, with *Homage to Samuel Beckett* (fig. 11), to work out some of his ideas on colour and visual space in real space.

In 1965, following frequent visits with Barnett Newman and Robert Murray in New York, Molinari resumed the sculpting which he had abandoned since participating in the *La Place des Artistes* exhibition in 1953 with a sculpture that had amazed the critics. And that same year he exhibited a sculpture in painted wood at the *Concours Artistiques du Québec*. Then, in 1966, he did several plexiglas sculptures in which the transparency seemed to negate the material support of colour. These attempts to project colour in space without opaque material support ended in 1968 with the construction of several luminous columns made up of hundreds of coloured electric light bulbs which, when lit up, physically defined colour as a luminous phenomenon projected into the surrounding space.

Configuration, a sculpture made up of four parallelipipeds measuring six feet by one foot, each of them a different colour – blue, yellow, red, green – served as a starting point for *Homage to Samuel Beckett*. In this sculpture Molinari put forward the possibility of integrating the virtual space created by the perception of colour planes by the viewer with the actual space in which the viewer is situated.

In a text taken from an interview recorded in March 1967, Molinari drew a parallel between space, time, and colour in his painting and his sculpture, and arrived at the conclusion that space did not exist outside of the viewer's perceptive path; thus the viewer's perception of each of the columns in *Homage to*

modifiant la structure de l'œuvre. Molinari posait l'instabilité fondamentale de l'objet perçu et sa nouveauté essentielle à chaque moment de perception par le spectateur.

A la suite de ce texte, François Gagnon, professeur d'histoire de l'art à l'Université de Montréal, dans un article publié en 1969, fit une analyse systématique de la fonction du spectateur dans l'œuvre de Molinari:

Une contemplation pour ainsi dire globale du tableau, qui tenterait d'en saisir l'organisation d'un seul coup, devient quasi-impossible. Aussi bien Molinari invite-t-il son spectateur à une véritable «lecture» de son tableau, c'est-à-dire à un «balayage horizontal», de gauche à droite ou de droite à gauche, de l'aire picturale. Au point de vue transcendental du spectateur classique, l'artiste substitue celui du «lecteur» avec toute la liberté de «re-lecture» que cela rend possible... A cause du mouvement même de la lecture, chaque perception colorée est lourde aussi de la perception précédente ou du moins des traces qu'elle a laissées dans la mémoire. Chaque plan prend ainsi une valeur relative au plan précédent. Quand s'ajoutent à ces phénomènes ceux de la série, que nous avons signalés plus haut, la surface picturale s'anime très tôt, d'un véritable rythme chromatique... L'événement plastique propre à ses tableaux semble se situer tout entier quelque part entre la toile et le spectateur, c'est-à-dire en ce lieu virtuel où peuvent se donner libre cours les pulsions des rythmes colorés. Dans cet espace, les plans colorés, loin de se fixer dans l'espace (couleurs chaudes en avant, couleurs froides en arrière) se déplacent constamment dans un perpétuel va-et-vient qui faisait dire récemment au peintre que les couleurs «respirent» dans ses tableaux... [Molinari] *refuse de contrebalancer la couleur énergétique par la non-couleur et propose un champ complètement saturé. Toute l'aire picturale est transformée en champ énergétique, et paradoxalement, la bi-dimensionnalité de sa surface ne s'en trouve pas niée pour autant. Bien au contraire, c'est précisément parce que la couleur n'est qu'énergie, qu'elle permet aux plans de se situer dans l'espace pulsant qu'on a dit ... l'événement*

Samuel Beckett inevitably alters his experience of time and space.[41]

Molinari published an article in the catalogue for the exhibition *Statements 18 Canadian Artists* which took place in Regina in November and December of 1967; in the article he continued his discussion of the meaning of his relationships with the work and ideas of Mondrian. Molinari maintained that Mondrian, like Malevitch and Delaunay, had not succeeded in eliminating the duality of form and content and had kept intact his notion of dynamic equilibrium.

Molinari described his own development as having allowed him, through complete serialization of elements in the painting, to attain "a constantly renewed time-space continuum." Indeed, the use of vertical coloured stripes of the same size over the entire surface of the painting transformed it into an event in which the viewer contributed, through his perception, the temporal factor which altered the structure of the work. Molinari posited the fundamental instability of the perceived object and its essential newness at each moment of perception by the viewer.

Following on this article, François Gagnon, a professor of art history at the Université de Montréal, published an article in 1969 in which he analyzed systematically the function of the viewer in Molinari's paintings:

Contemplating the painting in an overall way, so to speak, attempting to grasp the composition all at once, becomes nearly impossible. Rather, Molinari invites his viewer to actually "read" his painting, in a "horizontal sweep" from left to right, or right to left, of the pictorial area. For the transcendental point of view of the classical viewer, the artist substitutes the view of the "reader," with all the freedom to "re-read" this makes possible .... Because of the very movement of reading, the perception of

41. *Sculpture 67* (Ottawa: National Gallery of Canada, 1967) (exhibition catalogue) p. 18.

plastique propre au tableau de Molinari semble se passer entre la toile et le spectateur dans le lieu inaliénable de la communication sensible. Toute l'entreprise de ce peintre a tendu à rendre autonome le fait plastique supporté par le tableau. Dans cette perspective, le problème de l'intégration du tableau dans son environnement architectural ne se pose même plus. Pur événement plastique, le tableau s'affirme comme réalité autonome, tout en se niant comme objet. Il n'existe que pour celui qui sait le lire, c'est-à-dire qu'il ne prend corps que dans le contexte existentiel de la rencontre sensible[42].

L'année 1968 fut marquée par la participation de Molinari à plusieurs expositions de groupe au Canada et à l'étranger, y compris la section canadienne de la *Biennale* de Venise, avec le sculpteur montréalais Ulysse Comtois (fig. 12). Neuf tableaux, datant de 1964 à 1968, furent soigneusement choisis par Brydon Smith, dont *Espace bleu-ocre* 1964 (cat. nº 28; ill. p. 89), *Bi-sériel orange-vert* 1967 (cat. nº 37) et *Bi-sériel vert-bleu* 1967 (cat. nº 38; ill. p. 96). Il y remporta le prix de la Fondation David F. Bright. La *Biennale* ayant été elle-même fortement contestée sur place, les deux artistes affichèrent à l'entrée du pavillon canadien un texte expliquant leur participation.

A son retour d'Italie, Molinari entreprit une réflexion sur le sens de son œuvre et se remit même à faire une série de dessins à l'encre (cat. nº 79; ill.). Il exposa en mars–avril 1969, chez Carmen Lamanna à Toronto, une série de tableaux faits pendant l'automne 1968 et basés sur des esquisses au pastel, faites à Rome en mai 1968. Il décrivit ainsi l'origine de ses nouveaux tableaux:

A Rome, j'ai tenté de travailler à des séries plus complexes. Étant dans un milieu tout à fait différent, je me suis intéressé à des choses différentes de ce que j'avais fait auparavant. De plus, puisque je travaillais à l'extérieur de mon atelier, je ne préparais pas

42. *La Revue d'Esthétique*, t. XXII, nº 3, juillet 1969, p. 264–266.

each colour is laden with the perception of the previous one, or at any rate, with the traces it has left in the memory. Thus each plane takes on a value relative to the preceding plane. When to these phenomena are added those of the series, which we pointed out previously, the pictorial surface very quickly comes alive with a veritable chromatic rhythm.... The actual plastic event which occurs with his paintings seems to be entirely located somewhere between the viewer and the canvas, that is, in that virtual space where the impulses of colour rhythms can have free rein. In this space, colour planes, far from being fixed in space (watm colours in the forefront, cold colours in the background), are in constant motion, perpetually "coming and going," which recently caused the painter to remark that his colours "breathed".... [Molinari] *refuses to counterbalance energetic colour with non-colour, and presents a completely saturated field. All of the pictorial area is transformed into an energy field, and – paradoxically – the two-dimensional nature of the surface is still not negated. Quite the contrary, it is precisely because colour is only energy that it allows planes to be located in a pulsating space referred to earlier ... the specific plastic event which occurs with a Molinari painting seems to occur between the viewer and the canvas in the inviolable space of sensory communication. The painter's whole effort has been to render autonomous the plastic facts of the canvas. In this perspective, the problem of integrating the painting into its architectural environment does not even arise. The painting is a pure plastic event, and stands as an autonomous reality, negating itself as an object. It exists only for those who know how to read it, which is to say that it takes on substance only in the existential context of sensory encounter.*[42]

The year 1968 was marked by Molinari's participation in several group exhibitions in Canada and abroad, including the Canadian section of the Venice *Biennale*, along with the Montreal sculptor

42. *La Revue d'Esthétique*, vol. XXII, no. 3 (July 1969), pp. 264–266.

Figure 12
L'exposition *Canada: Ulysse Comtois, Guido Molinari*, au pavillon du Canada à la XXXIVe Exposition biennale internationale d'art de Venise, du 22 juin au 20 octobre 1968. A l'avant plan, les sculptures de Comtois; sur le mur du fond, à droite du centre, *Bi-sériel bleu-orange* 1968 de Molinari (cat. nº 39)

Figure 12
The exhibition *Canada*: *Ulysse Comtois, Guido Molinari* at the Canadian Pavillion of the XXXIV Venice International Biennial Exhibition of Art, 22 June to 20 October 1968. In the foreground, sculptures by Comtois, and on the back wall, right of centre, *Blue-Orange Bi-Serial* 1968 by Molinari (cat. no. 39)

empiriquement des tableaux mais je faisais des esquisses, je travaillais à des idées.
Ce ne fut qu'à mon retour que j'ai décidé d'essayer de voir ce qui allait se produire à partir des notations de couleurs faites à Rome. Dans mon travail, il arrive souvent que je retourne à des possibilités plus complexes après une période simplifiée. Dans la série de Rome je me suis plus préoccupé du rythme que de l'exploration de la fonction de la masse comme ce fut le cas dans ce tableau que j'avais fait pour l'aéroport de Vancouver où je voulais valoriser à l'extrême les possibilités de la couleur sur une très grande surface.
Je ne crois pas que je me limite jamais à un seul type d'exploration: il y a toujours, dans mon travail, cette alternance et cette opposition entre ce concept du rythme et celui de la masse[43].

Le tableau *Sériel rouge-ocre* 1968 (cat. n° 42; ill. p. 97) fait partie de cette série de tableaux. Il est composé d'une double série de quatre couleurs qui, par leurs tonalités, tendent immédiatement vers le blanc comme si en quelque sorte le processus de dissolution de la surface à travers le rythme de perception du spectateur avait déjà été engagé avant que celui-ci ne voie ces couleurs.

En même temps qu'il exposait chez Carmen Lamanna, Molinari présenta, à la Galerie Sherbrooke de Montréal, avec une série de dessins, de gouaches et d'aquarelles de 1955, 1956 et 1957, un triptyque *Dyade brun-bleu*, *Dyade orange-vert*, *Dyade vert-rouge* 1968–1969 (cat. n° 43; ill. pp. 102, 103) qui fut, par son intensité, le point culminant de la longue série de tableaux à bandes verticales de largeur égale amorcée en 1964:

Cette opposition entre la simplicité et la complexité se retrouve dans le triptyque des Dyades. *Dans l'un,* Dyade vert-rouge, *j'utilise des oppositions chromatiques très intenses; dans l'autre,* Dyade brun-bleu, *ce sont des oppositions plus harmoniques; tandis que dans le troisième,* Dyade orange-vert, *il y a vraiment une*

43. *Artscanada*, t. XXVI, n° 3, livraison n° 132/133, juin 1969, p. 37–38 [traduction].

Ulysse Comtois (fig. 12). Nine paintings dating from 1964 to 1968 were carefully chosen by Brydon Smith, among them *Blue-Ochre Space* 1964 (cat. no. 28; ill. p. 89), *Orange-Green Bi-Serial* 1967 (cat. no. 37), and *Green-Blue Bi-Serial* 1967 (cat. no. 38; ill. p. 96). Molinari won the David F. Bright Foundation prize at the *Biennale*. Since there were demonstrations against the *Biennale* at its opening, the two artists put up notices at the entrance to the pavillion explaining their participation.

On his return from Italy, Molinari reflected on the direction of his work, and even set to work again on a series of ink drawings (cat. no. 79; ill.). In March and April of 1969, at the Carmen Lamanna Gallery in Toronto, he exhibited a series of paintings done in the Fall of 1968, based on pastel sketches he had done in Rome in May of that same year. He described the origins of his new paintings:

In Rome I tried to involve myself with a more complex series. By being in a completely different environment, I got involved with some things which were different from what I had done previously. Also, since I was working outside my studio, I was not really planning paintings but making sketches, working at ideas. It was only when I came back that I decided to really try to see what would happen if I got involved with those colour notations done in Rome.
In my work, I often will, after a simplified period, go back to more complex possibilities. In the Rome series I'm more involved with rhythm than with the exploration of the function of mass, as for instance, in the painting which I made for the Vancouver airport, where I really wanted to maximize the possibility of colour on a very large surface. I don't think I will ever limit myself to one type of exploration: in my work there is always an alternation and an opposition between the concept of rhythm and the concept of mass.[43]

43. *artscanada*, vol. XXVI, no. 3, issue no. 132/133 (June 1969), pp. 37–38.

synthèse entre le contraste des valeurs et le contraste chromatique. C'est là un aspect du triptyque qui démontre plus ou moins cette alternance dans mon œuvre. Dans plusieurs cas vous trouverez une synthèse entre le rythme et la masse dans un seul tableau.

Dans le triptyque des Dyades, *j'utilise toujours l'idée de la répétition des éléments dans la création d'un système de couleurs ou de tons par la localisation de la couleur sur la surface. J'ai, depuis 1964, essayé de me défaire du concept de la figure et du fond en utilisant la répétition des éléments pour m'éloigner de celui-ci. L'opposition d'un élément à un autre est quand même toujours présente. Même une très grande surface d'une couleur donnée aura deux qualités: une qualité périphérique et une qualité centrique qui sont toujours différentes l'une de l'autre. On ne peut arriver à créer une masse équilibrée. La masse s'organise toujours plus ou moins dans une opposition entre le noyau et la périphérie. Ceci ce produit dans les* Dyades *où même dans une composition du type le plus radical, le tableau est d'abord lu par énumération sérielle. Dès que vous atteignez le centre du tableau la seconde moitié semble être l'écho de la première; vous êtes dès lors impliqués dans la qualité centrique du tableau. Vous déplaçant ensuite vers la périphérie, en soudant la seconde moitié à la première, vous vous rendez compte que la seconde a une identité différente de la première. Pendant que vous percevez le premier élément de la seconde partie, vous vous rendez compte que celui-ci a une fonction contraire au premier élément de la première partie, même s'il s'agit de la même couleur qui est dans un système périphérique.*

Vous vous rendez alors compte qu'il existe deux systèmes et que le second est le prolongement du premier. Avant de retourner au premier pour le lire comme un troisième système, vous découvrez qu'il existe une synthèse des deux bandes du milieu. Vous vous rendez compte qu'il existe un noyau et une opposition à ce noyau.

Par ces dimensions mêmes, ces trois *Dyades* se transformaient en événement coloré enveloppant totalement le spectateur:

The painting *Red-Ochre Serial* 1968 (cat. no. 42; ill. p. 97) is part of this series. It is made up of a double series of four colours, which in their tonalities tend immediately towards white, as if in some way the process of dissolution of the surface through the rhythm of the viewer's perception had already begun, even before the viewer sees the colours.

At the same time as the Toronto exhibition, Molinari had an exhibition at the Galerie Sherbrooke in Montreal; along with a series of drawings, gouaches, and water colours from 1955, 1956, and 1957, he showed a triptych, *Brown-Blue Dyad, Orange-Green Dyad, Green-Red Dyad* 1968–1969 (cat. no. 43; ill. pp. 102, 103), which in its intensity represented the culmination of the long series of paintings with vertical stripes of equal width which he had begun in 1964:

Again, this opposition of simplicity and complexity is found in the Dyad *triptych. In one* (Green-Red Dyad), *I get involved with very strong chromatic oppositions. In the other* (Brown-Blue Dyad), *I get involved with more harmonic oppositions. In the third one* (Orange-Green Dyad), *there is really a synthesis between value contrast and chromatic contrast. This is one aspect of the triptych. It shows more or less this alternation in my work. In many cases you find a synthesis between rhythm and mass in one painting.*

In the Dyad *triptych I'm still involved with the idea of a repetition of elements, always of creating a system of colour or tone with the location of colour on the surface. I have, from 1964 on, tried to get rid of the concept of figure and ground, which the repetition of elements allows me to get away from. Yet the opposition in a system of one element against another is always present. Even a very large surface of a given colour will have two qualities: a peripheral quality and a centrical quality, which are always different one from another. You cannot get an equilibrated mass. Mass always more or less organizes itself in an opposition between nucleus and periphery. This happens in* Dyad, *where, even with a most radical type of composition, you read the*

L'idée d'une projection de la couleur implique une perception temporelle. C'est un événement que celui qui perçoit assemble dans sa propre durée temporelle. Le tableau peut avoir une fonction symbolique par laquelle on peut dire que celui qui le perçoit provient de la périphérie et qu'il pénètre uniquement par sa perception des couleurs, à l'intérieur de l'aspect sériel de l'œuvre. Il s'intègre au noyau et il rend les couleurs vivantes et réelles. Tout cela se passe dans un temps réel, un temps humain. Le tableau-environnement vous happe. Un nouveau type d'espace est alors créé, un espace, fictif puisqu'il est dans l'esprit, mais qui implique en même temps la perception toute entière. Vous prenez conscience de pénétrer à l'intérieur de quelque chose et vous ne pouvez plus alors vous en distinguer[44].

Par leurs dimensions mêmes, ces tableaux envahissent en effet tout le champ du regard du spectateur comme si celui-ci ne pouvait séparer les tableaux de l'espace réel qu'ils occupent. Les *Dyades* créent à l'intérieur de la perception temporelle un espace lumineux, coloré et mouvant qui se confond avec l'espace réel; s'établissent ainsi entre le spectateur et les trois tableaux des *Dyades* des types de rapports analogues à ceux provoqués par la perception d'une sculpture comme *Hommage à Samuel Beckett* qui joue sur l'ambiguïté de la perception simultanée d'un espace virtuel et d'un espace réel.

Voulant remettre en question l'utilisation du rectangle vertical répété comme élément structurel premier de l'œuvre, Molinari commença, en 1969 aussi, une nouvelle série de tableaux où ces rectangles étaient divisés en deux parties égales de couleurs différentes et superposées, comme il l'avait déjà fait en 1958 par exemple, avec les rectangles blancs et rouges de *Diagonale rouge* (cat. nº 11).

Dans ce dernier, les rectangles posés à l'extrême gauche étaient répétés, inversés, une fois vers la droite. Ainsi dans

44. *Ibid.*

painting first as a serial enumeration. Once you get to the centre of the painting, the second half is like an echo of the first; you are thus involved with the centrical quality of the painting. Working yourself toward the periphery again, as you weld the second half to the first one, you realize that the second one has a different identity. As you perceive the first element of the second part, you realize that it has a contradictory function to the first element of the first part, even if it's the same colour, which is in a peripheral system. You thus become conscious that there are two systems and that the second one is the extension of the first one. Before going back to the first one, reading it as a third system, you discover that there is a synthesis of the two middle stripes. You realize that there is a core and an opposition to this core.

By their dimensions, the three *Dyad* are transformed into a coloured event which completely envelops the viewer:

The idea of projecting colour in a system implies a perception in time. It is an event that the percipient is putting together in his own time.

The painting can have a symbolic function by which you can say that the percipient comes from the periphery and that he actually enters, just by the enumeration of the colours, the serial aspect of the work; he gets involved into the core and he makes the colours alive and real. All this happens in real time, anthropomorphic time.

The painting-environment sucks you in. A new type of space is created, fictional space because it happens in the mind and yet it also involves the totality of perception. You become conscious of getting into something and you then cannot distinguish yourself from that thing.[44]

These paintings, by their very dimensions, invade the spectator's field of view, as though he were unable to separate them from the physcial space they occupy. The *Dyad* create within temporal perception a luminous, coloured, moving space which

44. *Ibid.*

Opposition rectangulaire n° 2 (cat. n° 45; ill. p. 106), peint en mai 1969, quatre couleurs sont posées sur la surface: de gauche à droite, un rectangle brun est superposé à un rectangle vert et juxtaposé à un rectangle bleu sur un gris; ces rapports sont inversés dans la deuxième moitié du tableau, le vert étant alors superposé au brun, et le gris au bleu. Cette composition réintroduit aussi une lecture en diagonale à partir des coins du tableau, tout autant qu'à partir des coins de ces petits rectangles, qui est analogue à celle que provoquait aussi *Diagonale rouge* (cat. n° 11). Peint lui-aussi en mai, *Structure n° 1* 1956–1969 (cat. n° 44; ill. p. 105), inscrit clairement dans sa structure même et dans ses contrastes éclatants cette lecture en diagonale. Ce tableau faisait partie d'une série construite à partir d'esquisses de 1956.

Tous les tableaux en damier faits en 1969 et 1970 présentaient donc ce même schéma visuel. Ainsi *Structure gris-bleu* 1970 (cat. n° 46) reprend le principe de la segmentation du «rectangle» vertical énoncé dans *Opposition rectangulaire n° 2* (cat. n° 45), mais cette fois par des carrés de dimensions égales plutôt que par des rectangles et sans que la disposition des éléments de couleurs soit symétrique. Cette asymétrie des couleurs impose finalement au spectateur une structure de lecture analogue à celle des tableaux aux bandes verticales asymétriques comme par exemple *Mutation rythmique n° 9* 1965 (cat. n° 33).

C'est à l'automne de 1970 que l'artiste commença à enseigner au Département des Beaux-Arts de l'université Sir George Williams à Montréal (maintenant Concordia). Auparavant il avait enseigné, pendant l'année scolaire 1964–1965, à l'École d'art du Musée des beaux-arts de Montréal. Molinari fut reçu, en 1969, membre de l'Académie royale des arts du Canada et déposa son tableau *Hommage à Borduas* 1963 à la Galerie nationale du Canada comme morceau de réception.

Hommage à Barnett Newman 1970 (cat. n° 47; ill. p. 107) présente dans de grandes dimensions l'actualisation des virtualités

blends into the physical space, thus establishing between the viewer and the three *Dyad* the type of relationship similiar to those created in viewing a sculpture such as *Homage to Samuel Beckett*, which plays on the ambiguity of simultaneous perception of virtual space and real space.

Molinari, wishing to reexamine the use of the repeated vertical rectangle as the primary structural element in the painting, also began a new series of paintings in 1969, in which these rectangles were divided into two superimposed equal parts of different colours, as he had already done in 1958, for instance, with white and red rectangles in *Red Diagonal* (cat. no. 11). In this painting, the rectangles placed at the far left were repeated once, upside down, towards the right. Thus in *Rectangular Opposition No. 2* (cat. no. 45; ill. p. 106), painted in May 1969, four colours are placed on the surface: from left to right, a brown rectangle is superimposed over a green rectangle and juxtaposed with a blue rectangle superimposed over a grey one; these relationships are reversed in the second half of the painting, the green being superimposed over the brown and the grey over the blue. This composition also reintroduces diagonal reading, starting at the corners of the painting, as well as reading from the corners of the small rectangles, similar to the effect created by *Red Diagonal* (cat. no. 11). *Structure No. 1* 1956–1969 (cat. no. 44; ill. p. 105), also painted in May, clearly indicates this diagonal reading in its very structure and its vivid contrasts. This painting was part of a series developed from his 1956 sketches.

All of the checkerboard paintings done in 1969 and 1970 present this same visual arrangement. *Grey-Blue Structure* 1970 (cat. no. 46) takes up the idea found in *Rectangular Opposition No. 2* (cat. no. 45), of segmenting the vertical "rectangle," only this time using squares of equal dimensions rather than rectangles, and without the symmetrical arrangement of colour elements. This asymmetry of colours succeeds in imposing upon the viewer a reading structure similar to that in the paintings of

d'un espace pictural défini directement par la lecture d'une ou de plusieurs diagonales qui sont aussi des lignes de démarcation entre les couleurs et qui orientent immédiatement le dynamisme du tableau. C'est une composition essentiellement symétrique divisée en deux par une ligne verticale au centre; chaque côté de cette ligne présente une image inversée de l'autre, type de composition repris avec quatre couleurs dans *Structure triangulaire vert-brun* 1971 (cat. nº 48).

Position triangulaire jaune-vert 1972 (cat. nº 49; ill. p. 109) est construit par la superposition et la répétition de triangles jaunes et verts, virtuellement inscrits dans des rectangles qui avaient constitué, à une échelle beaucoup plus grande, la moitié gauche de *Hommage à Barnett Newman*.

Alors que Molinari n'utilisait plus les bandes verticales comme élément structural de ses tableaux, un vif débat, qui eut même son écho dans *La Presse*[45], éclata au sujet de l'originalité de l'œuvre de Tousignant et de Molinari. L'originalité de l'œuvre de ce dernier était mise en doute, à cause de l'influence de Barnett Newman.

Le 12 mai 1970, François Gagnon donnait une conférence intitulée *Mimétisme en peinture contemporaine au Québec*[46] où il posait essentiellement que les peintres plasticiens montréalais, Molinari et Tousignant en particulier, avaient emprunté à Mondrian d'abord, puis ensuite à leurs contemporains américains, comme Barnett Newman et Gene Davis pour le premier, Kenneth Noland pour le second, leur langage plastique tout entier. Molinari, quant à lui, répondit aux commentaires de Gagnon sur son œuvre en précisant qu'il avait toujours tendu indépendamment à se défaire de la notion d'objet dans sa peinture. Il définit son évolution dans un contexte historique large

45. *La Presse*, 3 octobre 1970.
46. *Conférences J. A. de Sève, 11–12, Peinture canadienne-française: Débats*, p. 39–60, Les Presses de l'Université de Montréal, 1971.

asymmetric vertical stripes, for example *Rhythmic Mutation No. 9* 1965 (cat. no. 33).

In the fall of 1970, Molinari began teaching in the Department of Fine Arts at Sir George Williams University, Montreal (now Concordia University). Earlier, he had taught at the School of Art and Design of the Montreal Museum of Fine Arts during the school year 1964–1965. Molinari became a member of the Royal Canadian Academy of Arts in 1969, and deposited *Homage to Borduas* 1963 as his diploma work with the National Gallery of Canada.

Molinari's *Homage to Barnett Newman* of 1970 (cat. no. 47; ill. p. 107) presents, on a large scale, the rendering into reality of the virtual nature of a pictorial space directly defined by the reading of one or more diagonals, which are also demarcation lines between the colours and which immediately direct the dynamism of the painting. This is an essentially symmetrical composition divided in two by a vertical line in the centre: each side of the line presents a reverse image of the other, a type of composition done with four colours as in *Green-Brown Triangular Structure* 1971 (cat. no. 48). *Yellow-Green Triangular Position* 1972 (cat. no. 49; ill. p. 109) is built up by superimposing and repeating yellow and green triangles, virtually inscribed inside rectangles, like those, on a much larger scale, on the left half of *Homage to Barnett Newman*.

Even though Molinari was no longer using vertical bands as a structural element in his paintings, a lively debate arose – even reaching the pages of *La Presse*[45] – concerning the originality of Tousignant's and Molinari's work, which was being questioned, in Molinari's case, because of the influence of Barnett Newman on his work.

On 12 May 1970, François Gagnon delivered a lecture entitled *Mimétisme en peinture contemporaine au Québec* (Mimesis

45. *La Presse* (Montreal), 3 October 1970.

et récusa l'accusation d'imitation de certaines découvertes formelles de Newman: «Pour comprendre le sens de ma démarche personnelle, il faut tenir compte du fait qu'elle se fonde sur une réflexion de la nécessité d'une destruction progressive de l'objet, déjà amorcée par l'impressionnisme, qui préoccupa le suprématisme de Malevitch dans son «monde sans objet», tout comme le néoplasticisme de Mondrian lequel cependant, en maintenant les oppositions hégéliennes, ne sut éliminer tout anthropomorphisme... Il semble superflu de rappeler que le problème d'éliminer «l'objet» traditionnel n'équivaut pas à éliminer cet autre objet que peut constituer le tableau comme support matériel du phénomène plastique, mais de faire du tableau le lieu d'événements énergétiques qui conditionnent une nouvelle spatialité et qui expriment les nouvelles relations que nous établissons avec le Monde. C'est cette révolution structurelle que j'ai toujours tenté de faire, d'abord à travers le graphisme et la réversibilité et ensuite par la «mutation chromatique» et la sérialisation des événements plastiques.»

Molinari établissait une distinction entre, d'une part le mimétisme comme processus d'imitation et, d'autre part, le processus d'évolution et de maturation de l'individu pensant, à partir de «quelques grandes hypothèses fondamentales».

Ne niant pas en lui l'existence de ce processus évolutif, Molinari posait que l'originalité de sa démarche résidait dans sa découverte de la «libération de l'énergie chromatique» et il affirmait à juste titre: «En me servant de l'énergie chromatique comme élément structurel de la nouvelle spatialité, j'entendais créer un art plus expressif que tout ce qui l'avait précédé.»

Molinari considérait comme superficielles les ressemblances entre ses tableaux et ceux de Gene Davis ou de Barnett Newman, et définissait l'œuvre de ce dernier dans son contexte historique issu de l'expressionnisme plutôt que de la géométrie de Mondrian; il n'avait d'ailleurs jamais caché sa profonde admiration envers l'intégrité de Barnett Newman et de son œuvre.

Molinari concluait aussi: «L'originalité de la problématique

in contemporary Quebec painting),[46] in which he maintained essentially that the Montreal *Plasticien* painters, Molinari and Tousignant in particular, had borrowed their entire artistic language, first from Mondrian, then from their American contemporaries like Barnett Newman and Gene Davis (in Molinari's case) and Kenneth Noland (in Tousignant's case). Molinari replied to Gagnon's comments on his work by saying that he had always tended independently toward ridding himself of the idea of the object in his painting. He defined his development in a broad historical context and denied the accusation of having imitated certain of Newman's formal discoveries:

In order to understand the direction of my personal progress, one must take into account that it is based on reflection on the need to progressively destroy the object, a process which had already begun with the Impressionism with which the Suprematism of Malevitch had been preoccupied in his "world without object," just like Mondrian's Neoplasticism, which – while maintaining Hegelian oppositions – still could not entirely eliminate anthropomorphism .... It would seem superfluous to note that the problem of eliminating the traditional "object" is not the same as eliminating that other object which might be called the painting as material support for the visual phenomenon, but rather to make the painting a place where energy events take place, events which determine a new spatiality and express the new relationships we are establishing with the World. It is this structural revolution that I have always attempted to carry out, first through drawings and reversibility, and then through "chromatic mutation" and the serialization of plastic events.

Molinari established a distinction between mimesis as a process of imitation on one hand, and on the other hand, the process of development and maturation of the thinking individual, based on "several broad basic hypotheses." While not denying

46. *Conférences J. A. de Sève, 11–12, Peinture canadienne-française: Débats* (Montreal: Les Presses de l'Université de Montreal, 1971), pp. 39–60.

canadienne fut de donner à la couleur une nouvelle fonction et une nouvelle dimension, puis de définir de nouvelles structures spatiales, non à partir d'éléments hétérogènes d'opposition comme la forme et le fond, mais à partir des systèmes sériels et inter-relationnels qui seuls permettent de déculper la fonction dynamique et expressive de la couleur.[47] »

Tryptique bleu 1973 (cat. nº 50) représente l'aboutissement de recherches sur le dynamisme des couleurs posées dans une structure à fortes diagonales entreprises depuis les quatre années précédentes. Ici Molinari établit un discours sur la similitude ou la dissimilitude des rapports entre des couleurs différentes (ici le vert, le brun et le rouge) avec une même couleur (ici le bleu) sur laquelle elles sont individuellement superposées en diagonale dans chaque élément du triptyque.

Dans ces trois tableaux, Molinari réalisait ce programme qu'il s'était tracé depuis longtemps et qu'il avait résumé ainsi en 1972:

Ma prise de position à l'égard du problème de la couleur c'est que la peinture peut réaliser son plein potentiel à travers une re-définition des phénomènes et du dynamisme de la couleur.

C'est ce que j'ai essayé de réaliser en utilisant l'hypothèse complexe de la série. Pour résumer, nous pouvons dire que la série est le seul processus pictural qui:

a) rejette entièrement la justification d'une couleur comme le pôle de l'expression de l'artiste ou de l'identification dans le processus perceptif;

b) démontre que ce n'est que par la réapparition, la répétition ou la relocalisation qu'une certaine couleur peut acquérir une fonction dialectique dans la peinture;

c) est basé sur une constance de la forme, et, à travers les

47. *Réflexions sur la notion d'objet et de série*, dans *Conférences J. A. de Sève, 11–12, Peinture canadienne-française: Débats* pp. 66, 68, 74, 80, Les Presses de l'Université de Montréal, 1971.

the existence of this process of development within himself, Molinari maintained that the originality of his approach lay in the discovery of the "liberation of chromatic energy" and he stated, quite rightly: "In using chromatic energy as a structural element in the new spatiality, I was intending to create an art more expressive than anything that had ever gone before."

Molinari considered the similarities between his paintings and those of Gene Davis or Barnett Newman to be superficial, and defined Newman's work in its historical context as an outgrowth of Expressionism rather than of Mondrian's geometry; Molinari had never concealed his deep admiration for the integrity of Barnett Newman and of his work. Molinari concluded: "The originality of the Canadian contribution was to give colour a new function and a new dimension, and then to define new spatial structures based not on opposing heterogeneous elements such as form and content but on serial, interrelational systems, which alone create a tenfold increase in the dynamic and expressive function of colour."[47]

Blue Triptych 1973 (cat. no. 50) represents the finest result of his explorations in colour dynamics, in a strong diagonal structure, which he had been carrying out for the previous four years. Here Molinari established a discourse on the similarity or dissimilarity of relationships between different colours (in this case green, brown, and orange) and a single colour (in this case blue) on which each of them is individually superimposed diagonally in each element of the triptych.

In these three paintings Molinari achieved the plan he had long set out for himself and which he summarized in 1972:

My own position regarding the problem of colour is that it is

47. "Réflexions sur la notion d'objet et de série," in *Conférences J.A. de Sève, 11–12, Peinture canadienne-française: Débats* (Montreal: Les Presses de l'Université de Montréal, 1971), pp. 66, 68, 74, 80.

phénomènes de la réapparition, rejette tout système double d'expression basée sur l'opposition des qualités des couleurs (foncé et clair, etc.) ou de leurs quantités au moyen de contrastes entre des grandes formes et des formes plus petites ou des confrontations entre des lignes et des masses.
d) J'ai aussi tenté d'élimer l'opposition secondaire des textures, des limites du dur et du mou, etc., qui permettent toujours une restriction du message de la couleur et une perte du dynamisme et de l'expression[48].

C'est à la fin de 1973 que Molinari abandonna ses expériences chromatiques basées sur la répétition de formes colorées de mêmes dimensions pour commencer une nouvelle série de recherches sur les rapports dynamiques entre des formes colorées triangulaires de dimensions inégales à l'intérieur du rectangle du tableau.

48. Guido Molinari: *Colour in the Creative Arts* [traduction], 15–16 mai 1972, inédit.

through a redefinition of the colour phenomena and dynamism that painting can realize its full potentialities.
I have tried to do this through the use of the complex hypothesis of seriality. To summarize it briefly, we can say that seriality is the only structural pictorial process which:
a) rejects entirely the substantialization of one colour as the pole of expressivity of the artist or of identification in the perception process.
b) shows that it is only through recurrence, or repetition, or relocalisation, that a certain colour can acquire a dialectic function in the painting.
c) It is based on a constance of form and through the phenomena of recurrence rejects any dual system of expression based on the opposition of qualities *of colours (dark and clear, etc.) or* quantities *of colours through contrasts between big and smaller forms, or linear and mass confrontations.*
d) I have also tried to eliminate the secondary oppositions in textures, soft and hard limitations, etc. which always allow for a restriction of the colour message and a loss in dynamism and expression.[48]

Towards the end of 1973, Molinari abandoned his chromatic experiments, based on the repetition of coloured forms of the same size, to begin a new series of explorations into the dynamic relationships between coloured triangular forms of unequal dimensions within the rectangle of the painting.

48. Guido Molinari, "Colour in the Creative Arts." Speech given at the National Research Council, Ottawa, 15 and 16 May 1972.

Catalogue

Tableaux

Dans les dimensions, la hauteur précède la largeur.

1
Émergence II 1951
Huile sur masonite
60,3 x 49,5 cm (23-3/4 x 19-1/2 po)

EXPOSITIONS: Montréal, Musée d'Art Contemporain, 26 mai – 20 août 1967 (1re partie, 26 mai – 9 juillet). *Panorma de la peinture au Québec 1940–1966*, nº I, 47.
BIBLIOGRAPHIE: Ayre (Robert): *Panorama of 20th Century Quebec Painting at Musée*, dans *The Montreal Star*, 5 août 1967. Bengle (Céline): *Discours sur Molinari* [1973 ?], p. cr 2.

COLLECTION PARTICULIÈRE

2
Juxtaposition 1954
Huile sur toile
58,4 x 76,2 cm (23 x 30 po)

EXPOSITIONS: Spolète (Italie), Palazzo Collicola, 5° Festival Dei Due Mondi, 26 juin – 23 août 1962, *La Peinture Canadienne Moderne, 25 années de peinture au Canada-français*, nº XV, 2. Montréal, Musée d'Art Contemporain, 26 mai – 20 août 1967 (1re partie, 26 mai – 9 juillet), *Panorama de la peinture au Québec 1940–1966*, nº I, 48, repr.
BIBLIOGRAPHIE: Ayre (Robert): *Panorama of 20th Century Quebec Painting at Musée*, dans *The Montreal Star*, 5 août 1967. Teyssèdre (Bernard): *Guido Molinari un point limite de l'abstraction chromatique*, 1974, p. 6.

COLLECTION PARTICULIÈRE

Paintings

In dimensions, height precedes width.

1
Emergence II 1951
Oil on masonite
60.3 x 49.5 cm (23-3/4 x 19-1/2 in.)

EXHIBITION: Montreal, Musée d'Art Contemporain, 26 May–20 August 1967 (first part, 26 May–9 July), *Panorama de la peinture au Québec 1940–1966*, no. I, 47.
BIBLIOGRAPHY: Robert Ayre, "Panorama of 20th Century Quebec Painting at Musée," *The Montreal Star* (5 August 1967). Céline Bengle, *Discours sur Molinari* (1973?), p. cr 2.

PRIVATE COLLECTION

2
Juxtaposition 1954
Oil on canvas
58.4 x 76.2 cm (23 x 30 in.)

EXHIBITIONS: Spoleto (Italy), Palazzo Collicola, 5° Festival Dei Due Mondi, 26 June–23 August 1962, *La Peinture Canadienne Moderne, 25 années de peinture au Canada-français*, no. XV, 2. Montreal, Musée d'Art Contemporain, 26 May–20 August 1967 (first part, 26 May–9 July), *Panorama de la peinture au Québec 1940–1966*, no. I, 48, repr.
BIBLIOGRAPHY: Robert Ayre, "Panorama of 20th Century Quebec Painting at Musée," *The Montreal Star* (5 August 1967). Bernard Teyssèdre, *Guido Molinari un point limite de l'abstraction chromatique* (1974), p. 6.

PRIVATE COLLECTION

1

2

3

3
Émergence 1955
Huile sur toile
66 x 52,7 cm (26 x 20-3/4 po)

INSCRIPTION: signé et daté en bas à gauche: *MOLINARI*
EXPOSITION: Spolète (Italie), Palazzo Collicola, 5° Festival Dei Due Mondi, 26 juin – 23 août 1962, *La Peinture Canadienne Moderne, 25 années de peinture au Canada-français*, n° XV, 1 (daté 1954).
BIBLIOGRAPHIE: Molinari (Guido): *Réflexions sur la notion d'objet et de série*, dans *Conférences J.A. de Sève, 11–12, Peinture canadienne-française: Débats*, 1971, p. 75–76. Withrow (William): *Contemporary Canadian Painting*, 1972, repr., p. 166. Reid (Dennis): *A Concise History of Canadian Painting*, 1973, p. 283.

COLLECTION PARTICULIÈRE

4
Abstraction n° 1 1955
Huile sur lin
81,3 x 66 cm (32 x 26 po)

EXPOSITIONS: Montréal, École des Hautes Études Commerciales, 12–30 novembre 1955, *Exposition de Peinture Canadienne*, n° 65 ou 66. Ville Saint-Laurent, Collège de Saint-Laurent, Galerie Nova et Vetera, 18 octobre – 4 novembre 1962, *Rétrospective Guido Molinari*, n° 1.
BIBLIOGRAPHIE: Senécal (Marie): *Nos peintres, coup d'œil d'ensemble*, dans *Le Quartier Latin*, Montréal, 17 novembre 1955, p. 4.

COLLECTION PARTICULIÈRE

3
Emergence 1955
Oil on canvas
66.0 x 52.7 cm (26 x 20-3/4 in.)

INSCRIPTION: signed and dated, lower left: *MOLINARI.*
EXHIBITIONS: Spoleto (Italy), Palazzo Collicola, 5° Festival Dei Due Mondi, 26 June–23 August 1962, *La Peinture Canadienne Moderne, 25 années de peinture au Canada-français*, no. xv, 1 (dated 1954).
BIBLIOGRAPHY: Guido Molinari, "Réflexions sur la notion d'objet et de série," *Conférences J. A. de Sève, 11–12, Peinture canadienne-française: Débats* (1971), pp. 75–76. William Withrow, *Contemporary Canadian Painting* (1972), repr. p. 166. Dennis Reid, *A Concise History of Canadian Painting* (1973), p. 283.

PRIVATE COLLECTION

4
Abstraction No. I 1955
Oil on linen
81.3 x 66.0 cm (32 x 26 in.)

EXHIBITIONS: Montreal, École des Hautes Études Commerciales, 12–30 November 1955, *Exposition de Peinture Canadienne*, no. 65 or 66. Ville Saint-Laurent, Collège de Saint-Laurent, Galerie Nova et Vetera, 18 October–4 November 1962, *Rétrospective Guido Molinari*, no. 1.
BIBLIOGRAPHY: Marie Senécal, "Nos peintres, coup d'oeil d'ensemble," *Le Quartier Latin* (Montreal), 17 November 1955, p. 4.

PRIVATE COLLECTION

5
Abstraction 1955
Huile et émail sur toile
120,7 x 151,1 cm (47-1/2 x 59-1/2 po)

EXPOSITION: Montréal, Île Sainte-Hélène, Restaurant Hélène de Champlain, 27 février – 3 avril 1956, *Exposition de l'Association des artistes non-figuratifs de Montréal.*
BIBLIOGRAPHIE: De Repentigny (Rodolphe): *Un premier salon non-figuratif*, dans *La Presse*, Montréal, 3 mars 1956, repr. De Repentigny (Rodolphe): *Expositions*, dans *Vie des Arts*, t. II, mars–avril 1956, p. 26–27, repr. Lajoie (Noël): *L'exposition de l'AANFM*, dans *Le Devoir*, Montréal, 10 mars 1956.

COLLECTION PARTICULIÈRE

6
Angle Noir 1956
Duco sur toile
152,4 x 182,9 cm (60 x 72 po)

INSCRIPTION: signé et daté en bas à droite *MOLINARI–56*
Le dessin n° 70 du catalogue a servi d'esquisse à ce tableau, lequel fut reproduit par l'artiste en 1967 dans une édition de douze sérigraphies faites d'après des tableaux noirs et blancs de 1956 dans un portefeuille en 90 exemplaires intitulé *Noir/Blanc 1956*. La Galerie nationale possède le portefeuille n° 27 de cette édition.
EXPOSITIONS: Regina, Norman Mackenzie Art Gallery, 11–29 mars 1964; Vancouver, Vancouver Art Gallery, 17 avril – 17 mai 1964, *Molinari*, n° 1. Ottawa, Galerie nationale du Canada, 12 mai – 17 septembre 1967, *Trois cents ans d'art canadien*, n° 299, repr. Ottawa, Galerie nationale du Canada, 1969–1970, *Exposition Forme-Couleur*, n° 9.

5
Abstraction 1955
Oil and enamel on canvas
120.7 x 151.1 cm (47-1/2 x 59-1/2 in.)

EXHIBITIONS: Montreal, Saint Helen's Island, Hélène de Champlain Restaurant, 27 February–3 April 1956, *The Non-Figurative Artists Association of Montreal.*
BIBLIOGRAPHY: Rodolphe de Repentigny, "Un premier salon non-figuratif," *La Presse* (Montreal), 3 March 1956, repr. Rodolphe de Repentigny, "Expositions," *Vie des Arts*, vol. II (March-April 1956), pp. 26–27, repr. Noël Lajoie, "L'exposition de l'AANFM," *Le Devoir* (Montreal), 10 March 1956.

PRIVATE COLLECTION

6
Black Angle 1956
Duco on canvas
152.4 x 182.9 cm (60 x 72 in.)

INSCRIPTION: signed and dated lower right: *MOLINARI–56.*
The drawing which appears as no. 70 in the catalogue was the preliminary sketch for this painting. The painting was reproduced in 1967 in a limited edition of 90 portfolios entitled *Noir/Blanc 1956*; the portfolio contains 12 silkscreen prints by the artist based on the black and white paintings of 1956. The National Gallery of Canada owns the portfolio number 27 of this edition.
EXHIBITIONS: Regina, Norman Mackenzie Art Gallery, 11–29 March 1964; and Vancouver, Vancouver Art Gallery, 17 April–17 May 1964. *Molinari*, no. 1. Ottawa, The National Gallery of Canada, 12 May–17 September 1967, *Three Hundred Years of*

4

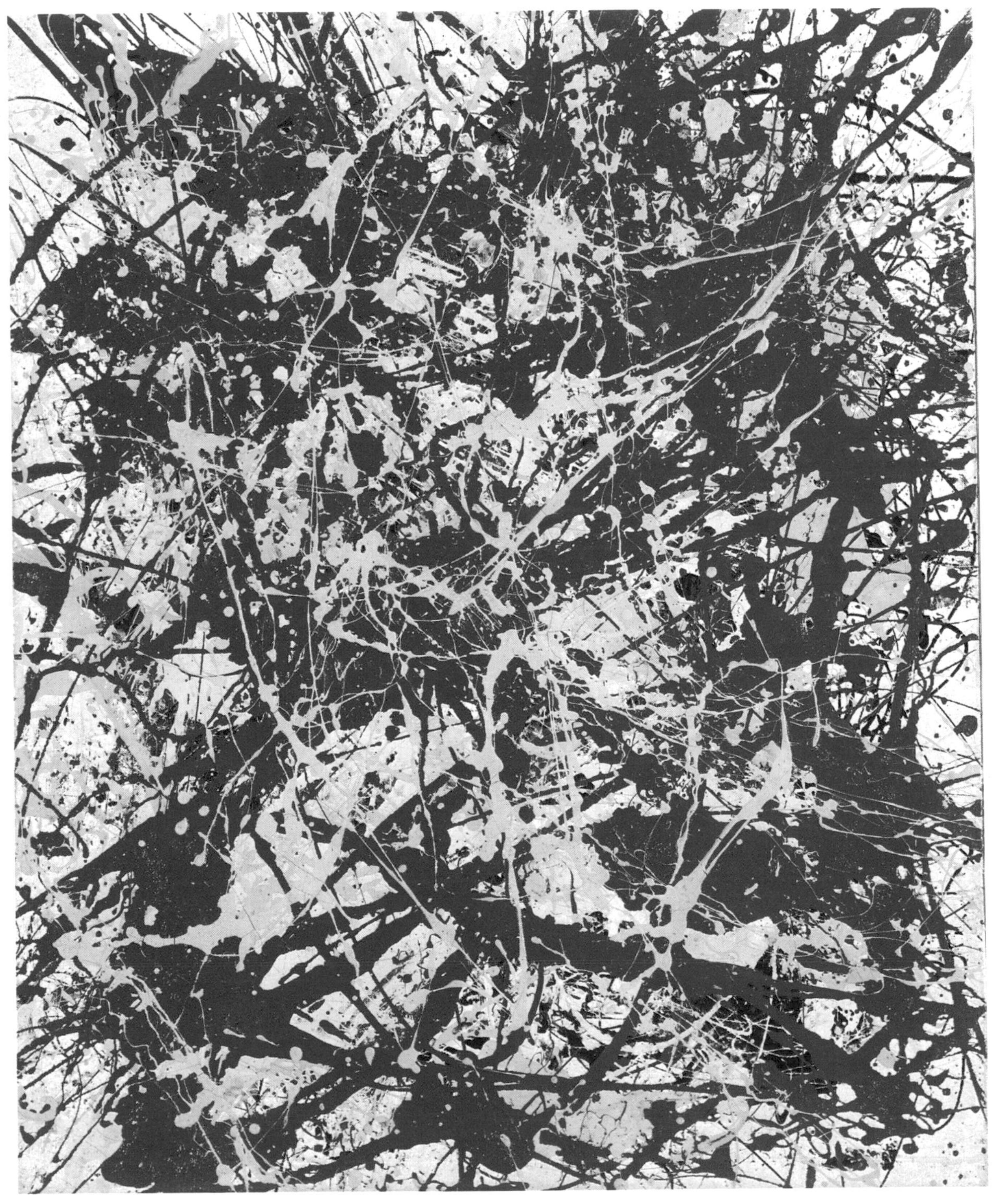

5

BIBLIOGRAPHIE: Vancouver Art Gallery, *Bulletin*, t. XXXI, nº 3, avril 1964, repr. Montbizon (Rea): *After the Biennale a Speculation Between Seasons*, dans *The Gazette*, Montréal, 8 août 1964. Harper (J. Russell): *La peinture au Canada des origines à nos jours*, 1966, repr. nº 378, p. 413 (sous le titre *Angle rythmique*). Boggs (Jean Sutherland): *The National Gallery of Canada*, 1971, repr. nº 146. Gagnon (François): *Mimétisme en peinture contemporaine au Québec*, dans *Conférences J.A. de Sève, 11–12, Peinture canadienne-française: Débats*, 1971, p. 51–52, et *Conclusions*, même auteur, même périodique, p. 100. Reid (Dennis): *A Concise History of Canadian Painting*, 1973, pp. 283, 284; repr. p. 283. Lord (Barry): *The History of Painting in Canada/Toward a People's Art*, 1974, p. 164–165; repr. nº 151, p. 165. Teyssèdre (Bernard): *Guido Molinari un point limite de l'abstraction chromatique*, 1974, p. 8.

GALERIE NATIONALE DU CANADA, OTTAWA

Canadian Art, no. 299, repr. Ottawa, The National Gallery of Canada, 1969–1970, *Form-Colour*, no. 9.

BIBLIOGRAPHY: Vancouver Art Gallery, *Bulletin*, vol. XXXI, no. 3 (April 1964), repr. Rea Montbizon, "After the Biennale a Speculation Between Seasons," *The Gazette* (Montreal), 8 August 1964. J. Russell Harper, *Painting in Canada: A History* (1966), repr. no. 378, p. 413 (under the title *Angle rythmique*). Jean Sutherland Boggs, *The National Gallery of Canada* (1971), repr. no. 146. François Gagnon, "Mimétisme en peinture contemporaine au Québec," *Conférences J.A. de Sève, 11–12, Peinture canadienne-française: Débats* (1971), pp. 51–52, and also "Conclusions," p. 100. Dennis Reid, *A Concise History of Canadian Painting* (1973), pp. 283–284, repr. p. 283. Barry Lord, *The History of Painting in Canada: Toward a People's Art* (1974), pp. 164–165, repr. no. 151, p. 165. Bernard Teyssèdre, *Guido Molinari un point limite de l'abstraction chromatique* (1974), p. 8.

THE NATIONAL GALLERY OF CANADA, OTTAWA

7
Vertical blanc 1956
Duco sur toile
114,6 x 88,9 cm (45-1/8 x 35 po)

EXPOSITIONS: Montréal, Galerie l'Actuelle, 30 avril – 14 mai 1956, *Exposition Guido Molinari*. Montréal, Île Sainte-Hélène, Restaurant Hélène de Champlain, 4 juin – 3 septembre 1956, *Panorama de la peinture montréalaise*. Ville Saint-Laurent, Collège de Saint-Laurent, Galerie Nova et Vetera, 18 octobre – 4 novembre 1962. *Rétrospective Guido Molinari* (sous le titre *Vertical noir*). New York, East Hampton Gallery, 23 mai – 10 juin 1967, *Minimal Paintings of 1956*. Montréal, Sir George Williams University, Art Gallery, 3–21 mars 1972 *Molinari/Painting and Sculpture* (sous le titre *Vertical noir*).

7
White Vertical 1956
Duco on canvas
114.6 x 88.9 cm (45-1/8 x 35 in.)

EXHIBITIONS: Montreal, l'Actuelle, 30 April–14 May 1956, *Exposition Guido Molinari*. Montreal, Saint Helen's Island, Hélène de Champlain Restaurant, 4 June–3 September 1956, *Panorama de la peinture montréalaise*. Ville Saint-Laurent, Collège de Saint-Laurent, Galerie Nova et Vetera, 18 October–4 November 1962, *Rétrospective Guido Molinari* (under the title *Vertical noir*). New York, East Hampton Gallery, 23 May–10 June 1967, *Minimal Paintings of 1956*. Montreal, Sir George Williams University, Art Gallery, 3–21 March 1972, *Molinari/Painting and Sculpture* (under the title *Vertical noir*).

6

7

8

BIBLIOGRAPHIE: Lajoie (Noël): *Exposition Guido Molinari*, dans *Le Devoir*, Montréal, 5 mai 1956.

COLLECTION PARTICULIÈRE

8
Émergence du rouge 1958
Gouache sur papier collé sur carton
66,4 x 101,6 cm (26-1/8 x 40 po)

INSCRIPTION: signé et daté en bas à droite: *G. Molinari 58*
EXPOSITION: Montréal, Galerie Artek, 18 novembre – 6 décembre 1958, *Calligraphies Molinari*.
BIBLIOGRAPHIE: Chicoine (René): *J'aime l'antiquité et cherche sérieusement à y trouver le savoir*, dans *Le Devoir*, Montréal, 21 novembre 1958.

COLLECTION PARTICULIÈRE

9
Multi-blanc 1958
Huile sur toile
87,6 x 113,7 cm (34-1/2 x 44-3/4 po)

EXPOSITION: [?] Montréal, École des Beaux-Arts. 12–27 janvier 1959, *Art Abstrait*.

COLLECTION PARTICULIÈRE

BIBLIOGRAPHY: Noël Lajoie, "Exposition Guido Molinari," *Le Devoir* (Montreal), 5 May 1956.

PRIVATE COLLECTION

8
Emergence of Red 1958
Gouache on paper pasted on cardboard
66.4 x 101.6 cm (26-1/8 x 40 in.)

INSCRIPTION: signed and dated lower right: *G. Molinari 58*.
EXHIBITION: Montreal, Galerie Artek, 18 November-6 December 1958, *Calligraphies Molinari*.
BIBLIOGRAPHY: René Chicoine, "J'aime l'antiquité et cherche sérieusement à y trouver le savoir," *Le Devoir* (Montreal), 21 November 1958.

PRIVATE COLLECTION

9
Multi-White 1958
Oil on canvas
87.6 x 113.7 cm (34-1/2 x 44-3/4 in.)

EXHIBITION: [?] Montreal, École des Beaux-Arts, 12–27 January 1959, *Art Abstrait*.

PRIVATE COLLECTION

9

10

11

10
Poly-relationnel 1958
Huile sur toile
128,9 x 129,5 cm (50-3/4 x 51 po)

INSCRIPTION: signé et daté en bas à droite: *MOLINARI 58*
EXPOSITIONS: Montréal, École des Beaux-Arts, 12–27 janvier 1959, *Art Abstrait.* Spolète (Italie), Palazzo Collicola, 5° Festival Dei Due Mondi, 26 juin – 23 août 1962, *La Peinture Canadienne Moderne, 25 années de peinture au Canada-français* (pas inscrit au catalogue). Edmonton, Edmonton Art Gallery, 6–31 mai 1966, *Guido Molinari*, n° 2. Montréal, Musée d'Art Contemporain, 26 mai – 20 août 1967, *Panorama de la peinture au Québec 1940–1966* (2e partie, 11 juillet – 20 août), n° II, 82.
BIBLIOGRAPHIE: Folch, *Exposition*, dans *Vie des Arts*, n° 14, printemps 1959, p. 30. Teyssèdre (Bernard): *Guido Molinari un point limite de l'abstraction chromatique*, 1974, p. 9.

GALERIE NATIONALE DU CANADA, OTTAWA

10
Poly-Relational 1958
Oil on canvas
128.9 x 129.5 cm (50-3/4 x 51 in.)

INSCRIPTION: signed and dated lower right: *MOLINARI 58.*
EXHIBITIONS: Montreal, École des Beaux-Arts, 12–27 January 1959, *Art Abstrait.* Spoleto (Italy), Palazzo Collicola, 5° Festival Dei Due Mondi, 26 June–23 August 1962, *La Peinture Canadienne Moderne, 25 années de peinture au Canada-français* (not listed in catalogue). Edmonton, Edmonton Art Gallery, 6–31 May 1966, *Guido Molinari*, no. 2. Montreal, Musée d'Art Contemporain, 26 May–20 August 1967, *Panorama de la peinture au Québec 1940–1966* (second part, 11 July–20 August), no. II, 82.
BIBLIOGRAPHY: Folch, "Exposition," *Vie des Arts*, no. 14 (Spring 1959), p. 30. Bernard Teyssèdre, *Guido Molinari un point limite de l'abstraction chromatique* (1974), p. 9.

THE NATIONAL GALLERY OF CANADA, OTTAWA

11
Diagonale rouge 1959
Huile sur toile
91,4 x 116,8 cm (36 x 46 po)

INSCRIPTION: signé et daté en bas à droite: *MOLINARI 59*
EXPOSITION: Montréal, École des Beaux-Arts, 12–27 janvier 1959, *Art Abstrait.*
BIBLIOGRAPHIE: De Repentigny (Rodolphe): *Une exposition rutilante*, dans *La Presse*, Montréal, 17 janvier 1959. Teyssèdre (Bernard): *Guido Molinari un point limite de l'abstraction chromatique*, 1974, p. 9.

COLLECTION PARTICULIÈRE

11
Red Diagonal 1959
Oil on canvas
91.4 x 116.8 cm (36 x 46 in.)

INSCRIPTION: signed and dated lower right: *MOLINARI 59.*
EXHIBITION: Montreal, École des Beaux-Arts, 12–27 January 1959, *Art Abstrait.*
BIBLIOGRAPHY: Rodolphe de Repentigny, "Une exposition rutilante," *La Presse* (Montreal), 17 January 1959. Bernard Teyssèdre, *Guido Molinari un point limite de l'abstraction chromatique* (1974), p. 9.

PRIVATE COLLECTION

12
Équivalence 1959
Acrylique sur toile
111,8 x 127 cm (44 x 50 po)

INSCRIPTION: signé et daté en bas à droite: *MOLINARI–59*
EXPOSITIONS: Montréal, Galerie Denyse Delrue, 1er–15 octobre 1960, *Espace dynamique*. Ottawa, Galerie nationale du Canada, 19 mai – 4 septembre 1961, *Quatrième Exposition biennale d'art canadien 1961*, n° 54. Louisville (Kentucky), The J. B. Speed Art Museum, 23 octobre – 25 novembre 1962, *19 Canadian Painters*, n° 34 (daté 1961). Toronto, Jerrold Morris International Gallery, 19–30 janvier 1963, *Clive Gray, Guido Molinari*. Montréal, Penthouse Gallery, 13 septembre – 11 octobre 1963, *Guido Molinari*. Austin (Texas), The University of Texas, Art Museum, 11 avril – 9 mai 1965, *An Exhibition of Retinal and Perceptual Art*. Fort Worth (Texas), Art Center, juin–juillet 1965, *The Deceived Eye*. Montréal, Galerie du Siècle, 7 novembre – 5 décembre 1967, *Espace Dynamique 1956–1967*. Montréal, Sir George Williams University, Art Gallery, 3–21 mars 1972, *Molinari/Painting and Sculpture*.
BIBLIOGRAPHIE: Withrow (William): *Contemporary Canadian Painting*, 1972, repr. p. 166. Reid (Dennis): *A Concise History of Canadian Painting*, 1973, p. 285. Bengle (Céline): *Discours sur Molinari* [1973 ?], p. cr 5. Teyssèdre (Bernard): *Guido Molinari un point limite de l'abstraction chromatique*, 1974, p. 9.

COLLECTION PARTICULIÈRE

12
Equivalence 1959
Acrylic on canvas
111.8 x 127 cm (44 x 50 in.)

INSCRIPTION: signed and dated lower right: *MOLINARI–59*.
EXHIBITIONS: Montreal, Galerie Denyse Delrue, 1–15 October 1960, *Espace dynamique*. Ottawa, The National Gallery of Canada, 19 May–4 September 1961, *Fourth Biennial Exhibition of Canadian Art 1961*, no. 54. Louisville, Kentucky, The J.B. Speed Art Museum, 23 October–25 November 1962, *19 Canadian Painters*, no. 34 (dated 1961). Toronto, Jerrold Morris International Gallery, 19–30 January 1963, *Clive Gray, Guido Molinari*. Montreal, Penthouse Gallery, 13 September–11 October 1963, *Guido Molinari*. Austin, Texas, The University of Texas, Art Museum, 11 April–9 May 1965, *An Exhibition of Retinal and Perceptual Art*. Fort Worth, Texas, Fort Worth Art Center, June-July 1965, *The Deceived Eye*. Montreal, Galerie du Siècle, 7 November–5 December 1967, *Espace Dynamique 1956–1967*. Montreal, Sir George Williams University, Art Gallery, 3–21 March 1972, *Molinari/Painting and Sculpture*.
BIBLIOGRAPHY: William Withrow, *Contemporary Canadian Painting* (1972), repr. p. 166. Dennis Reid, *A Concise History of Canadian Painting* (1973), p. 285. Céline Bengle, *Discours sur Molinari* (1973 ?), p. cr 5. Bernard Teyssèdre, *Guido Molinari un point limite de l'abstraction chromatique* (1974), p. 9.

PRIVATE COLLECTION

12

14

13
Asymétrique jaune 1959
Acrylique sur toile
121,9 x 152,4 cm (48 x 60 po)

INSCRIPTION: signé et daté en bas à droite: *MOLINARI 59*
EXPOSITIONS: New York, East Hampton Gallery, 30 décembre 1962 – 19 janvier 1963, *Molinari*. New York, The Museum of Modern Art, 6 avril – 9 juin 1966, *Recent Acquisitions*.

THE MUSEUM OF MODERN ART, NEW YORK
DON DE M. ET MME MONROE GELLER, 1963

14
Contrepoint 1960
Acrylique sur toile
114,3 x 128 cm (45 x 50-3/8 po)

INSCRIPTION: signé et daté en bas à droite: *MOLINARI–60*
EXPOSITIONS: Montréal, Musée des beaux-arts de Montréal, Galerie XII, 7–23 avril 1961, *Guido Molinari–Claude Tousignant*. Nairobi (Kenya), Sorsbie Gallery; Kampala (Ouganda), The Margaret Trowell School of Fine Art, Makerere College; et Durban (Afrique du Sud), Durban City Museum and Art Gallery, 1962–1963; *Contemporary Canadian Art*, n° 20. Montréal, Galerie du Siècle, 7 novembre – 5 décembre 1967, *Espace Dynamique 1956–1967*.
BIBLIOGRAPHIE: Molinari (Guido): *Réflexions sur l'automatisme et le plasticisme*, dans *Situations*, 3e année, n° 2, mars–avril 1961, illustré p. 69. Bengle (Céline): *Discours sur Molinari* [1973 ?], p. cr 5. Teyssèdre (Bernard): *Guido Molinari un point limite de l'abstraction chromatique*, 1974, p. 10, 11.

COLLECTION PARTICULIÈRE

13
Yellow Asymmetry 1959
Acrylic on canvas
121.9 x 152.4 cm (48 x 60 in.)

INSCRIPTION: signed and dated lower right: *MOLINARI 59*.
EXHIBITIONS: New York, East Hampton Gallery, 30 December 1962–19 January 1963, *Molinari*. New York, The Museum of Modern Art, 6 April–9 June 1966, *Recent Acquisitions*.

THE MUSEUM OF MODERN ART, NEW YORK
GIFT OF MR AND MRS MONROE GELLER, 1963

14
Counterpoint 1960
Acrylic on canvas
114.3 x 128 cm (45 x 50-3/8 in.)

INSCRIPTION: signed and dated lower right: *MOLINARI–60*.
EXHIBITIONS: Montreal, Montreal Museum of Fine Arts, Gallery XII, 7–23 April 1961, *Guido Molinari–Claude Tousignant*. Nairobi (Kenya), Sorsbie Gallery; Kampala (Uganda), The Margaret Trowell School of Fine Art, Makerere College; and Durban (South Africa), Durban City Museum and Art Gallery, 1962–1963, *Contemporary Canadian Art*, no. 20. Montreal, Galerie du Siècle, 7 November–5 December 1967, *Espace Dynamique 1956–1967*.
BIBLIOGRAPHY: Guido Molinari, "Réflexions sur l'automatisme et le plasticisme," *Situations*, 3rd year, no. 2 (March–April 1961), repr., p. 69. Céline Bengle, *Discours sur Molinari* (1973 ?), p. cr 5. Bernard Teyssèdre, *Guido Molinari un point limite de l'abstraction chromatique* (1974), pp. 10–11.

PRIVATE COLLECTION

15
Rectangle rouge 1960
Acrylique sur toile
125,1 x 152,4 cm (49-1/4 x 60 po)

EXPOSITIONS: Montréal, Musée des beaux-arts de Montréal, Galerie XII, 7-23 avril 1961, *Guido Molinari – Claude Tousignant.* New York, Camino Gallery, 20 avril – 10 mai 1962, *Geometric Abstraction in Canada.* New York, East Hampton Gallery, 30 décembre 1962 – 19 janvier 1963, *Molinari.*
BIBLIOGRAPHIE: S. [arah] C.F. [aunce]: *Geometric Abstraction in Canada*, sous «*Reviews and Previews*: *New Names this Month*», dans *Art News*, t. 61, n° 3, mai 1962, p. 19, repr. Teyssèdre (Bernard): *Guido Molinari un point limite de l'abstraction chromatique*, 1974, p. 10.

COLLECTION PARTICULIÈRE

16
Espace jaune 1961, 1975
Acrylique sur toile
152,4 x 182,9 cm (60 x 72 po)

Le tableau de 1961 ayant été endommagé, l'artiste le refit en 1975. C'est donc cette dernière version qui est ici exposée.
EXPOSITIONS: New York, East Hampton Gallery, 30 décembre 1962–19 janvier 1963, *Molinari.* Regina, Norman Mackenzie Art Gallery, 11–29 mars 1964; Vancouver, Vancouver Art Gallery, 17 avril – 17 mai 1964, *Molinari*, n° 3. Ottawa, Galerie nationale du Canada, 1968–1969, *La collection Hart House*: *Acquisitions récentes*, n° 5.
BIBLIOGRAPHIE: Adamson (Jeremy): *The Hart House Collection of Canadian Paintings*, 1969, n° 93, repr.

15
Red Rectangle 1960
Acrylic on canvas
125.1 x 152.4 cm (49-1/4 x 60 in.)

EXHIBITIONS: Montreal, Montreal Museum of Fine Arts, Gallery XII, 7–23 April 1961, *Guido Molinari–Claude Tousignant.* New York, Camino Gallery, 20 April–10 May 1962, *Geometric Abstraction in Canada.* New York, East Hampton Gallery, 30 December 1962–19 January 1963, *Molinari.*
BIBLIOGRAPHY: S.[arah] C.F.[aunce], "Reviews and Previews: New Names this Month: Geometric Abstraction in Canada," *Art News*, vol. 61, no. 3 (May 1962), p. 19, repr. Bernard Teyssèdre, *Guido Molinari un point limite de l'abstraction chromatique* (1974), p. 10.

PRIVATE COLLECTION

16
Yellow Space 1961, 1975
Acrylic on canvas
152.4 x 182.9 cm (60 x 72 in.)

The 1961 painting having been damaged, the artist redid it in 1975, and it is this version which is exhibited.
EXHIBITIONS: New York, East Hampton Gallery, 30 December 1962–19 January 1963, *Molinari.* Regina, Norman Mackenzie Art Gallery, 11–29 March 1964; and Vancouver, Vancouver Art Gallery, 17 April–17 May 1964, *Molinari*, no. 3. Ottawa, The National Gallery of Canada, 1968–1969, *The Hart House Collection: Recent Acquisitions*, no. 5.
BIBLIOGRAPHY: Jeremy Adamson, *The Hart House Collection of Canadian Paintings* (1969), no. 93, repr.

17

18

17
Hommage à Jauran 1961
Acrylique sur toile
141,3 x 176,2 cm (55-5/8 x 69-3/8 po)

INSCRIPTION: signé et daté en bas à droite: *Molinari 61*
EXPOSITIONS: Montréal, Musée des beaux-arts de Montréal, Galerie XII, 7–23 avril 1961, *Guido Molinari–Claude Tousignant*. New York, East Hampton Gallery, 30 décembre 1962 – 19 janvier 1963, *Molinari*. Regina, Norman Mackenzie Art Gallery, 11–29 mars 1964; Vancouver Art Gallery, 17 avril – 17 mai 1964, *Molinari*, n° 4. Ottawa, Galerie nationale du Canada, 12 mai – 17 septembre 1967, *Trois cents ans d'art canadien*, n° 320, repr.
BIBLIOGRAPHIE: J. [ohnson] J. [ill]: *Guido Molinari*, sous «*Reviews and Previews*: *New Names this Month*», dans *Art News*, t. 61, n° 9, janvier 1963, p. 18, repr. Théberge (Pierre): *Les Plasticiens*, dans Townsend (William), éditeur: *Canadian Art Today*, 1970, p. 26, repr. n° 6, p. 31. Reid (Dennis): *A Concise History of Canadian Painting*, 1973, p. 285. Teyssèdre (Bernard): *Guido Molinari un point limite de l'abstraction chromatique*, 1974, p. 9, 10, 12.

THE VANCOUVER ART GALLERY

18
Carré noir 1961
Acrylique sur toile
98,4 x 115,9 cm (38-3/4 x 45-5/8 po)

INSCRIPTION: signé et daté en bas à droite: *MOLINARI 61*
EXPOSITIONS: New York, Camino Gallery, 20 avril – 10 mai 1962, *Geometric Abstraction in Canada*. New York, East Hampton Gallery, 30 décembre 1962 – 19 janvier 1963, *Molinari*.

17
Homage to Jauran 1961
Acrylic on canvas
141.3 x 176.2 cm (55-5/8 x 69-3/8 in.)

INSCRIPTION: signed and dated lower right: *Molinari 61*.
EXHIBITIONS: Montreal, Montreal Museum of Fine Arts, Gallery XII, 7–23 April 1961, *Guido Molinari–Claude Tousignant*. New York, East Hampton Gallery, 30 December 1962–19 January 1963, *Molinari*. Regina, Norman Mackenzie Art Gallery, 11–29 March 1964; and Vancouver, Vancouver Art Gallery, 17 April–17 May 1964, *Molinari*, no. 4. Ottawa, The National Gallery of Canada, 12 May–17 September 1967, *Three Hundred Years of Canadian Art*, no. 320, repr.
BIBLIOGRAPHY: J.[ill] J.[ohnson], "Reviews and Previews: New Names this Month: Guido Molinari," *Art News*, vol. 61, no. 9 (January 1963), p. 18. repr. Pierre Théberge, "Les Plasticiens," *Canadian Art Today*, William Townsend, ed. (1970), p. 26, repr., no. 6, p. 31. Dennis Reid, *A Concise History of Canadian Painting* (1973), p. 285. Bernard Teyssèdre, *Guido Molinari un point limite de l'abstraction chromatique* (1974), pp. 9, 10, 12.

THE VANCOUVER ART GALLERY

18
Black Square 1961
Acrylic on canvas
98.4 x 115.9 cm (38-3/4 x 45-5/8 in.)

INSCRIPTION: signed and dated lower right: *MOLINARI 61*.
EXHIBITIONS: New York, Camino Gallery, 20 April–10 May 1962, *Geometric Abstraction in Canada*. New York, East Hampton Gallery, 30 December 1962–19 January 1963, *Molinari*.

BIBLIOGRAPHIE: Bengle (Céline): *Discours sur Molinari* [1973 ?], p. cr 6. Teyssèdre (Bernard): *Guido Molinari un point limite de l'abstraction chromatique*, 1974, p. 11.

COLLECTION PARTICULIÈRE

19
Monolithique rouge 1961
Acrylique sur toile
101, 6 x 121,9 cm (40 x 48 po)

INSCRIPTION: signé et daté en bas à droite: *MOLINARI 61*
EXPOSITION: Montréal, Penthouse Gallery, 13 septembre – 11 octobre 1963, *Guido Molinari.*
BIBLIOGRAPHIE: Teyssèdre (Bernard): *Guido Molinari un point limite de l'abstraction chromatique*, 1974, p. 11.

COLLECTION PARTICULIÈRE

20
Asymétrique rouge 1961
Acrylique sur toile
106,7 x 119,4 cm (42 x 47 po)

INSCRIPTION: signé et daté en bas à droite: *MOLINARI 61*

COLLECTION PARTICULIÈRE

21
Espace rouge n° 2 1962
Acrylique sur toile
158,4 x 146,7 cm (62-3/8 x 57-3/4 po)

BIBLIOGRAPHY: Céline Bengle, *Discours sur Molinari* (1973 ?), p. cr 6. Bernard Teyssèdre, *Guido Molinari un point limite de l'abstraction chromatique* (1974), p. 11.

PRIVATE COLLECTION

19
Red Monolithic 1961
Acrylic on canvas
101.6 x 121.9 cm (40 x 48 in.)

INSCRIPTION: signed and dated lower right: *MOLINARI 61.*
EXHIBITION: Montreal, Penthouse Gallery, 13 September–11 October 1963, *Guido Molinari.*
BIBLIOGRAPHY: Bernard Teyssèdre, *Guido Molinari un point limite de l'abstraction chromatique* (1974), p. 11.

PRIVATE COLLECTION

20
Red Asymmetrical 1961
Acrylic on canvas
106.7 x 119.4 cm (42 x 47 in.)

INSCRIPTION: signed and dated lower right: *MOLINARI 61.*

PRIVATE COLLECTION

21
Red Space No. 2 1962
Acrylic on canvas
158.4 x 146.7 cm (62-3/8 x 57-3/4 in.)

19

20

INSCRIPTION: signé et daté en bas à droite: *MOLINARI 62*
EXPOSITIONS: Montréal, Musée des beaux-arts de Montréal, 5 avril – 5 mai 1963, *80e Salon annuel du printemps*, n° 47. New York, Solomon R. Guggenheim Museum, janvier–mars 1964, *Guggenheim International Award 1964*, n° 14, repr. p. 46.
BIBLIOGRAPHIE: L'Heureux (Robert): *Une heure avec Guido Molinari*, dans *Le Droit*, Ottawa, 9 octobre 1964.

COLLECTION PARTICULIÈRE

INSCRIPTION: signed and dated lower right: *MOLINARI 62.*
EXHIBITIONS: Montreal, Montreal Museum of Fine Arts, 5 April–5 May 1963, *80th Annual Spring Exhibition*, no. 47. New York, Solomon R. Guggenheim Museum, January–February–March 1964, *Guggenheim International Award 1964*, no. 14, repr. p. 46.
BIBLIOGRAPHY: Robert L'Heureux, "Une heure avec Guido Molinari," *Le Droit* (Ottawa), 9 October 1964.

PRIVATE COLLECTION

22
Espace bleu n° 1 1962
Acrylique sur toile
152,7 x 127,3 cm (60-1/8 x 50-1/8 po)

INSCRIPTION: signé et daté en bas à droite: *MOLINARI–62*
EXPOSITIONS: New York, East Hampton Gallery, 30 décembre 1962 – 19 janvier 1963, *Molinari*. Toronto, Jerrold Morris International Gallery, 8–26 février 1964, *Guido Molinari*. Kingston (Ontario), Queen's University, Agnes Etherington Art Centre, 7–28 mars 1965, *New Trends in Canadian Painting*, n° 29. Montreal, The Saidye Bronfman Center of the YMYWHA, 15 mars – 6 avril 1970, *Molinari Stripes Leroy/Leroy Warps Molinari*.
BIBLIOGRAPHIE: Tillim (Sidney): *Guido Molinari*, sous «*New York Exhibitions: In the Galleries*», dans *Arts Magazine*, t. 37, n° 5, février 1963, p. 54. Teyssèdre (Bernard): *Guido Molinari un point limite de l'abstraction chromatique*, 1974, p. 11.

COLLECTION PARTICULIÈRE

22
Blue Space No. 1 1962
Acrylic on canvas
152.7 x 127.3 cm (60-1/8 x 50-1/8 in.)

INSCRIPTION: signed and dated lower right: *MOLINARI–62.*
EXHIBITIONS: New York, East Hampton Gallery, 30 December 1962–19 January 1963, *Molinari*. Toronto, Jerrold Morris International Gallery, 8–26 February 1964, *Guido Molinari*. Kingston, Ontario, Queen's University, Agnes Etherington Art Centre, 7–28 March 1965, *New Trends in Canadian Painting*, no. 29. Montreal, The Saidye Bronfman Center of the YMYWHA, 15 March–6 April 1970, *Molinari Stripes Leroy/Leroy Warps Molinari.*
BIBLIOGRAPHY: Sidney Tillim, "New York Exhibitions: In the Galleries: Guido Molinari," *Arts Magazine*, vol. 37, no. 5 (February 1963), p. 54. Bernard Teyssèdre, *Guido Molinari un point limite de l'abstraction chromatique* (1974), p. 11.

PRIVATE COLLECTION

23
Bi-structure 1963
Acrylique sur toile
160 x 147,3 cm (63 x 58 po)

INSCRIPTION: signé et daté au verso, en haut à gauche: *MOLINARI/63*
EXPOSITION: New York, East Hampton Gallery, 27 janvier – 14 février 1964, *Molinari*.

COLLECTION PARTICULIÈRE

24
Alternance 1963
Acrylique sur toile
182,9 x 152,4 cm (72 x 60 po)

INSCRIPTION: signé et daté en bas à droite: *MOLINARI 63*
EXPOSITION: New York, East Hampton Gallery, 25 janvier – 14 février 1964, *Molinari*.
BIBLIOGRAPHIE: Teyssèdre (Bernard): *Guido Molinari un point limite de l'abstraction chromatique*, 1974, p. 11.

COLLECTION PARTICULIÈRE

25
Onzerouge 1963
Acrylique sur toile
152,4 x 121,9 cm (60 x 48 po)

INSCRIPTION: signé et daté en bas à droite: *MOLINARI 63*
EXPOSITIONS: Montréal, Galerie Libre, 20 mars – 2 avril 1963, *Molinari*. Burlington (Vermont), Fleming Museum, University of Vermont, 10 avril – 10 mai 1965, *OP From Montreal*, n° 26.

23
Bi-Structure 1963
Acrylic on canvas
160 x 147.3 cm (63 x 58 in.)

INSCRIPTION: signed and dated *verso* upper left: *MOLINARI/63.*
EXHIBITION: New York, East Hampton Gallery, 25 January–14 February 1964, *Molinari.*

PRIVATE COLLECTION

24
Alternance 1963
Acrylic on canvas
182.9 x 152.4 cm (72 x 60 in.)

INSCRIPTION: signed and dated lower right: *MOLINARI 63.*
EXHIBITION: New York, East Hampton Gallery, 25 January–14 February 1964, *Molinari.*
BIBLIOGRAPHY: Bernard Teyssèdre, *Guido Molinari un point limite de l'abstraction chromatique* (1974), p. 11.

PRIVATE COLLECTION

25
Elevenred 1963
Acrylic on canvas
152.4 x 121.9 cm (60 x 48 in.)

INSCRIPTION: signed and dated lower right: *MOLINARI 63.*
EXHIBITIONS: Montreal, Galerie Libre, 20 March–2 April 1963, *Molinari.* Burlington, Vermont, University of Vermont, Fleming Museum, 10 April–10 May 1965, *OP From Montreal*, no. 26.

BIBLIOGRAPHIE: Teyssèdre (Bernard): *Guido Molinari un point limite de l'abstraction chromatique*, 1974, p. 11.

COLLECTION PARTICULIÈRE

26
Espace bleu-vert n° 1 1963
Acrylique sur toile
170,2 x 134,6 cm (67 x 53 po)

INSCRIPTION: signé et daté en bas à droite: *MOLINARI 63*
EXPOSITIONS: Toronto, Jerrold Morris International Gallery, 8–26 février 1964, *Molinari*. Kingston (Ontario), Queen's University, Agnes Etherington Art Centre, 7–28 mars 1965, *New Trends in Canadian Painting*, n° 31.
BIBLIOGRAPHIE: Teyssèdre (Bernard): *Guido Molinari un point limite de l'abstraction chromatique*, 1974, p. 11.

COLLECTION PARTICULIÈRE

27
Espace bleu-vert n° 2 1963
Acrylique sur toile
144,8 x 160 cm (57 x 63 po)

INSCRIPTION: signé et daté en bas à droite: *MOLINARI 63*
EXPOSITIONS: Montréal, Musée des beaux-arts de Montréal, 7 avril – 3 mai 1964, *81e Salon annuel du printemps*, n° 55. Edmonton, Edmonton Art Gallery, 6–31 mai 1966, *Guido Molinari*, n° 5.
BIBLIOGRAPHIE: Teyssèdre (Bernard): *Guido Molinari un point limite de l'abstraction chromatique*, 1974, p. 11.

COLLECTION PARTICULIÈRE

BIBLIOGRAPHY: Bernard Teyssèdre, *Guido Molinari un point limite de l'abstraction chromatique* (1974), p. 11.

PRIVATE COLLECTION

26
Blue-Green Space No. 1 1963
Acrylic on canvas
170.2 x 134.6 cm (67 x 53 in.)

INSCRIPTION: signed and dated lower right: *MOLINARI 63*.
EXHIBITIONS: Toronto, Jerrold Morris International Gallery, 8–26 February 1964, *Molinari*. Kingston, Ontario, Queen's University, Agnes Etherington Art Centre, 7–28 March 1965, *New Trends in Canadian Painting*, no. 31.
BIBLIOGRAPHY: Bernard Teyssèdre, *Guido Molinari un point limite de l'abstraction chromatique* (1974), p. 11.

PRIVATE COLLECTION

27
Blue-Green Space No. 2 1963
Acrylic on canvas
144.8 x 160 cm (57 x 63 in.)

INSCRIPTION: signed and dated lower right: *MOLINARI 63*.
EXHIBITIONS: Montreal, Montreal Museum of Fine Arts, 7 April–3 May 1964, *81st Annual Spring Exhibition*, no. 55. Edmonton, Edmonton Art Gallery, 6–31 May 1966, *Guido Molinari*, no. 5.
BIBLIOGRAPHY: Bernard Teyssèdre, *Guido Molinari un point limite de l'abstraction chromatique* (1974), p. 11.

PRIVATE COLLECTION

28

28
Espace bleu-ocre 1964
Acrylique sur toile
206,4 x 274,3 cm (81-1/4 x 108 po)

INSCRIPTION: signé et daté au verso, en haut à gauche: *MOLINARI 2/1964*
EXPOSITIONS: Montréal, Galerie du Siècle, 19 octobre – 8 novembre 1964, *Molinari*. New York, East Hampton Gallery, 16 mars – 3 avril 1965, *Molinari*. Fort Worth (Texas), Art Center, juin–juillet 1965, *The Deceived Eye*, Venise, XXXIVe Exposition biennale internationale d'art, 22 juin – 20 octobre 1968, *Canada: Ulysse Comtois, Guido Molinari.*
BIBLIOGRAPHIE: T.[ed] B.[errigan]: *Guido Molinari*, sous «*Reviews and Previews*», dans *Art News*, t. 64, n° 1, mars 1965, p. 16. Hudson (Andrew): *Phenomenon: Colour Painting in Montreal*, dans *Canadian Art*, t. XXI, n° 6, livraison n° 94, novembre-décembre 1964, repr. p. 360.

COLLECTION PARTICULIÈRE

29
Mutation vert-rouge 1964
Acrylique sur toile
200 x 243,8 cm (78-3/4 x 96 po)

INSCRIPTION: signé et daté au verso, en haut à gauche: *MOLINARI 6/1964*
EXPOSITIONS: Montréal, Galerie du Siècle, 19 octobre – 8 novembre 1964, *Molinari*. New York, The Museum of Modern Art, 23 février – 25 avril 1965, *The Responsive Eye*, n° 79, repr. p. 12. Montréal, Musée d'Art Contemporain, 20 mars – 14 avril 1968; Québec, Musée du Québec, 18 avril – 12 mai 1968, *10 Peintres du Québec*, n° 31.

28
Blue-Ochre Space 1964
Acrylic on canvas
206.4 x 274.3 cm (81-1/4 x 108 in.)

INSCRIPTION: signed and dated *verso* upper left: *MOLINARI 2/1964.*
EXHIBITIONS: Montreal, Galerie du Siècle, 19 October–8 November 1964, *Molinari*. New York, East Hampton Gallery, 16 March–3 April 1965, *Molinari*. Fort Worth, Texas, Forth Worth Art Center, June–July 1965, *The Deceived Eye*. Venice, XXXIV International Biennial Exhibition of Art, 22 June–20 October 1968, *Canada: Ulysse Comtois, Guido Molinari.*
BIBLIOGRAPHY: T.[ed] B.[errigan], "Reviews and Previews: Guido Molinari," *Art News*, vol. 64, no. 1 (March 1965), p. 16. Andrew Hudson, "Phenomenon: Colour Painting in Montreal," *Canadian Art*, vol. XXI, no. 6, issue no. 94 (November–December 1964), repr. p. 360.

PRIVATE COLLECTION

29
Green-Red Mutation 1964
Acrylic on canvas
200 x 243.8 cm (78-3/4 x 96 in.)

INSCRIPTION: signed and dated *verso* upper left: *MOLINARI 6/1964.*
EXHIBITIONS: Montreal, Galerie du Siècle, 19 October–8 November 1964, *Molinari*. New York, The Museum of Modern Art, 23 Feburary–25 April 1965, *The Responsive Eye*, no. 79, repr. p. 12. Montreal, Musée d'Art Contemporain, 20 March–14 April 1968; and Quebec, Musée du Québec, 18 April–12 May 1968, *10 Peintres du Québec*, no. 31.

BIBLIOGRAPHIE: Bilodeau (Jean-Noël): *Dix peintres du Québec*, dans *Le Soleil*, Québec, 27 avril 1968.

COLLECTION PARTICULIÈRE

30
Quadruple mutation 1964
Acrylique sur toile
198 x 167,6 cm (78 x 66 po)

INSCRIPTION: signé et daté au verso, en haut à gauche: *MOLINARI 9/64*
EXPOSITIONS: Montréal, Galerie du Siècle, 19 octobre – 8 novembre 1964, *Molinari*. New York, East Hampton Gallery, 16 mars – 3 avril 1965, *Molinari*. Burlington (Vermont), Fleming Museum, University of Vermont, 10 avril – 10 mai 1965, *OP From Montreal*, n° 27. Kitchener, Kitchener-Waterloo Art Gallery, 4–26 février 1967, *Centennial Exhibition of Quebec and Ontario Contemporary Painters 1967*, n° 34.

COLLECTION PARTICULIÈRE

31
Mutation athématique orange-vert 1965
Acrylique sur toile
205,7 x 249,5 cm (81 x 98-1/4 po)

INSCRIPTION: signé et daté au verso, en haut à droite: *MOLINARI 1965*

COLLECTION PARTICULIÈRE

BIBLIOGRAPHY: Jean-Noël Bilodeau, "Dix peintres du Québec," *Le Soleil* (Quebec), 27 April 1968.

PRIVATE COLLECTION

30
Quadruple Mutation 1964
Acrylic on canvas
198 x 167.6 cm (78 x 66 in.)

INSCRIPTION: signed and dated *verso* upper left: *MOLINARI 9/64.*
EXHIBITIONS: Montreal, Galerie du Siècle, 19 October–8 November 1964, *Molinari*. New York, East Hampton Gallery, 16 March–3 April 1965, *Molinari*. Burlington, Vermont, University of Vermont, Fleming Museum, 10 April–10 May 1965, *OP From Montreal*, no. 27. Kitchener, Ontario, Kitchener-Waterloo Art Gallery, 4–26 February 1967, *Centennial Exhibition of Quebec and Ontario Contemporary Painters 1967*, no. 34.

PRIVATE COLLECTION

31
Orange-Green Athematic Mutation 1965
Acrylic on canvas
205.7 x 249.5 cm (81 x 98-1/4 in.)

INSCRIPTION: signed and dated *verso* upper right: *MOLINARI 1965.*

PRIVATE COLLECTION

32
Mutation thématique jaune-orangé 1965
Acrylique sur toile
213,4 x 183,5 cm (84 x 72-1/4 po)

INSCRIPTION: signé et daté au verso, en haut à gauche: *MOLINARI 2/65*
EXPOSITION: New York, East Hampton Gallery, 16 mars – 3 avril 1965, *Molinari*.

COLLECTION PARTICULIÈRE

33
Mutation rythmique n° 9 1965
Acrylique sur toile
203,2 x 152,4 cm (80 x 60 po)

INSCRIPTION: signé et daté au verso, en haut à gauche: *MOLINARI 12/65*
EXPOSITIONS: New York, East Hampton Gallery, 18 janvier – 5 février 1966, *Rhythmic Mutation Molinari Mutation Rythmique*. Boston, Institute of Contemporary Art, 12 mai – 12 juin 1967, *Nine Canadians*, n° 23. Paris, Musée National d'Art Moderne, 12 janvier – 18 février 1968, *Canada art d'aujourd'hui*, n° 45, repr.
BIBLIOGRAPHIE: Reid (Dennis): *A Concise History of Canadian Painting*, 1973, p. 286, repr. n° XXIV, en regard de la page 272.

GALERIE NATIONALE DU CANADA, OTTAWA

32
Yellow-Orange Thematic Mutation 1965
Acrylic on canvas
213.4 x 183.5 cm (84 x 72-1/4 in.)

INSCRIPTION: signed and dated *verso* upper left: *MOLINARI 2/65.*
EXHIBITION: New York, East Hampton Gallery, 16 March–3 April 1965, *Molinari*.

PRIVATE COLLECTION

33
Rhythmic Mutation No. 9 1965
Acrylic on canvas
203.2 x 152.4 cm (80 x 60 in.)

INSCRIPTION: signed and dated *verso* upper left: *MOLINARI 12/65.*
EXHIBITIONS: New York, East Hampton Gallery, 18 January–5 February 1966, *Rhythmic Mutation Molinari Mutation Rythmique*. Boston, Mass., Institute of Contemporary Art, 12 May–12 June 1967, *Nine Canadians*, no. 23. Paris, Musée National d'Art Moderne, 12 January–18 February 1968, *Canada art d'aujourd'hui*, no. 45, repr.
BIBLIOGRAPHY: Dennis Reid, *A Concise History of Canadian Painting* (1973), p. 286, repr. no. XXIV, facing p. 272.

THE NATIONAL GALLERY OF CANADA, OTTAWA

33

34
Mutation quadri-violet 1966
Acrylique sur toile
172,7 x 101,6 cm (68 x 40 po)

INSCRIPTION: signé et daté au verso, en haut à droite: *MOLINARI 1966*
EXPOSITIONS: Montréal, Musée d'Art Contemporain, 26 mai – 20 août 1967, *Panorama de la peinture au Québec 1940–1966* (2e partie, 11 juillet–20 août), n° II, 83. Montréal, Terre des Hommes, Pavillon du Québec, été 1974, *Les Arts du Québec*, n° 48, repr.
BIBLIOGRAPHIE: Tremblay (Jean-Noël): (Préface) *Collections des Musées d'État du Québec*, 1967, n° 91, repr.

MUSÉE D'ART CONTEMPORAIN, MONTRÉAL

35
Mutation sérielle avec bande noire 1966
Acrylique sur toile
152,4 x 190,5 cm (60 x 75 po)

INSCRIPTION: signé et daté au verso, en haut à gauche: *MOLINARI 6/66*

JOHN C. PARKIN, TORONTO

36
Mutation rythmique rouge-orange 1966
Acrylique sur toile
228,6 x 198,1 cm (90 x 78 po)

34
Quadri-Violet Mutation 1966
Acrylic on canvas
172.7 x 101.6 cm (68 x 40 in.)

INSCRIPTION: signed and dated *verso* upper right: *MOLINARI 1966.*
EXHIBITIONS: Montreal, Musée d'Art Contemporain, 26 May–20 August, 1967, *Panorama de la peinture au Québec 1940–1966*, (second part, 11 July–20 August), no. II, 83. Montreal, Man and His World, Quebec Pavillion, summer 1974, *Les Arts du Québec*, no. 48, repr.
BIBLIOGRAPHY: Jean-Noël Tremblay, (Preface) *Collections des Musées d'État du Québec* (1967), no. 91, repr.

MUSÉE D'ART CONTEMPORAIN, MONTREAL

35
Serial Mutation with Black Band 1966
Acrylic on canvas
152.4 x 190.5 cm (60 x 75 in.)

INSCRIPTION: signed and dated *verso* upper left: *MOLINARI 6/66.*

JOHN C. PARKIN, TORONTO

36
Red-Orange Rhythmic Mutation 1966
Acrylic on canvas
228.6 x 198.1 cm (90 x 78 in.)

INSCRIPTION: signé et daté au verso, en haut à gauche: *MOLINARI 12/66*

COLLECTION PARTICULIÈRE

37
Bi-sériel orange-vert 1967
Acrylique sur toile
203,2 x 363,2 cm (80 x 143 po)

INSCRIPTION: signé et daté au verso, en haut à droite: *MOLINARI 1967*
Une esquisse (2,5 x 12,8 cm; 1 x 5 po) au pastel pour ce tableau est dans la collection de la Galerie nationale du Canada (n° 15,686).
EXPOSITIONS: Venise, XXXIVe Exposition biennale internationale d'art, 22 juin – 20 octobre 1968, *Canada, Ulysse Comtois, Guido Molinari*, repr. p. 24. Tel-Aviv, Musée de Tel-Aviv, Pavillon Helena Rubinstein, 12 novembre – 12 décembre 1970, *Huit artistes du Canada*, n° 23. Ottawa, Centre de conférences du gouvernement canadien, 2–10 août 1973, *Exposition d'œuvres canadiennes contemporaines*.
BIBLIOGRAPHIE: Lord (Barry): *The History of Painting in Canada/ Toward a People's Art*, 1974, pp. 165, 166; repr. n° 152, p. 165. Robert (Guy): *L'Art au Québec Depuis 1940*, 1973, repr. p. 126.

GALERIE NATIONALE DU CANADA, OTTAWA

38
Bi-sériel vert-bleu 1967
Acrylique sur toile
254 x 205,7 cm (100 x 81 po)

INSCRIPTION: signé et daté au verso, en haut à gauche: *MOLINARI 1967*

INSCRIPTION: signed and dated *verso* upper left: *MOLINARI 12/66.*

PRIVATE COLLECTION

37
Orange-Green Bi-Serial 1967
Acrylic on canvas
203.2 x 363.2 cm (80 x 143 in.)

INSCRIPTION: signed and dated *verso* upper right, *MOLINARI 1967.*
A pastel sketch (2.5 x 12.8 cm; 1 x 5 in.) for this painting is in the National Gallery of Canada (15,686).
EXHIBITIONS: Venice, XXXIV International Biennial Exhibition of Art, 22 June–20 October 1968, *Canada: Ulysse Comtois, Guido Molinari*, repr. p. 24. Tel Aviv, Tel Aviv Museum, Helena Rubinstein Pavillion, 12 November–12 December 1970, *Eight Artists from Canada*, no. 23. Ottawa, Government of Canada Conference Centre, 2–10 August 1973, *Exhibition of Contemporary Canadian Paintings*.
BIBLIOGRAPHY: Barry Lord, *The History of Painting in Canada: Toward a People's Art* (1974), pp. 165–166, repr. no. 152, p. 165. Guy Robert, *L'Art au Québec Depuis 1940* (1973), repr. p. 126.

THE NATIONAL GALLERY OF CANADA, OTTAWA

38
Green-Blue Bi-Serial 1967
Acrylic on canvas
254 x 205.7 cm (100 x 81 in.)

INSCRIPTION: signed and dated *verso* upper left: *MOLINARI 1967.*

38

42

EXPOSITIONS: Venise, XXXIVe Exposition biennale internationale d'art, 22 juin – 20 octobre 1968, *Canada: Ulysse Comtois, Guido Molinari.* Halifax (N.-É.), Dalhousie Art Gallery, University Arts Centre, 3–23 octobre 1972, *Paintings by Guido Molinari.*

COLLECTION PARTICULIÈRE

39
Bi-sériel bleu-orange 1968
Acrylique sur toile
203,2 x 365,8 cm (80 x 144 po)

INSCRIPTION: signé et daté au verso, en haut à droite: *MOLINARI 1/68*
EXPOSITION: Venise, XXXIVe Exposition biennale internationale d'art, 22 juin – 20 octobre 1968, *Canada: Ulysse Comtois, Guido Molinari.*
BIBLIOGRAPHIE: Teyssèdre (Bernard): *Deux Artistes Canadiens à la Biennale: Ulysse Comtois et Guido Molinari*, dans *Art International*, t. XII, nº 6, été 1968, repr. p. 70.

COLLECTION PARTICULIÈRE

40
Sériel vert-orangé 1968
Acrylique sur toile
234,3 x 367,4 cm (92-1/4 x 144-5/8 po)

INSCRIPTION: signé et daté au verso, en haut à gauche: *MOLINARI 4/68*

COLLECTION PARTICULIÈRE

EXHIBITIONS: Venice, XXXIV International Biennial Exhibition of Art, 22 June–20 October 1968, *Canada: Ulysse Comtois, Guido Molinari.* Halifax, Dalhousie University, University Arts Center, Dalhousie Art Gallery, 3–23 October 1972, *Paintings by Guido Molinari.*

PRIVATE COLLECTION

39
Blue-Orange Bi-Serial 1968
Acrylic on canvas
203.2 x 365.8 cm (80 x 144 in.)

INSCRIPTION: signed and dated *verso* upper right: *MOLINARI 1/68.*
EXHIBITIONS: Venice, XXXIV International Biennial Exhibition of Art, 22 June–20 October 1968, *Canada: Ulysse Comtois, Guido Molinari.*
BIBLIOGRAPHY: Bernard Teyssèdre, "Deux Artistes Canadiens à la Biennale: Ulysse Comtois et Guido Molinari," *Art International*, vol. XII, no. 6 (Summer 1968), repr. p. 70.

PRIVATE COLLECTION

40
Green-Orange Serial 1968
Acrylic on canvas
234.3 x 367.4 cm (92-1/4 x 144-5/8 in.)

INSCRIPTION: signed and dated *verso* upper left: *MOLINARI 4/68.*

PRIVATE COLLECTION

41
Sériel vert-bleu 1968
Acrylique sur toile
205,7 x 320 cm (81 x 126 po)

INSCRIPTION: signé et daté au verso, en haut à gauche: *MOLINARI 4/68*
EXPOSITIONS: Ottawa, Galerie nationale du Canada, 4 juillet – 1er septembre 1968, *Septième biennale de la peinture canadienne*, nº 32. Toronto, Carmen Lamanna Gallery, 13 mars – 1er avril 1969, *Molinari*. Lausanne (Suisse), Musée Cantonal des beaux-arts, Palais de Rumine, 21 juin – 4 octobre 1970; Paris, Musée d'Art Moderne de la Ville de Paris, A.R.C., 28 octobre – 6 décembre 1970; *3e Salon international de Galeries pilotes, Artistes et découvreurs de notre temps*, nº K.4.
BIBLIOGRAPHIE: Cameron (Dorothy): *Lausanne and Venice, Summer '70: the Crisis of Canada International Part 1: Lausanne*, dans *Artscanada*, t. XXVII, nº 5, livraison nº 148/149, octobre/novembre 1970, repr. p. 70.

COLLECTION PARTICULIÈRE

41
Green-Blue Serial 1968
Acrylic on canvas
205.7 x 320 cm (81 x 126 in.)

INSCRIPTION: signed and dated *verso* upper left: *MOLINARI 4/68.*
EXHIBITIONS: Ottawa, The National Gallery of Canada, 4 July–1 September 1968, *Seventh Biennial of Canadian Painting*, no. 32. Toronto, Carmen Lamanna Gallery, 13 March–1 April 1969, *Molinari*. Lausanne (Switzerland), Palais de Rumine, Musée Cantonal des beaux-arts, 21 June–4 October 1970; and Paris, Musée d'Art Moderne de la Ville de Paris, A.R.C., 28 October–6 December 1970, *3e Salon international de Galerie pilotes, Artistes et découvreurs de notre temps*, no. K.4.
BIBLIOGRAPHY: Dorothy Cameron, "Lausanne and Venice, Summer '70: The Crisis of Canada International Part 1: Lausanne," *artscanada*, vol. XXVII, no. 5, issue no. 148/149 (October–November 1970), repr. p. 70.

PRIVATE COLLECTION

42
Sériel rouge-ocre 1968
Acrylique sur toile
228,6 x 198,1 cm (90 x 78 po)

INSCRIPTION: signé et daté au verso, en haut à gauche: *MOLINARI ROME/5 MONTREAL/11/68*
EXPOSITION: Toronto, Carmen Lamanna Gallery, 13 mars – 1er avril 1969, *Molinari*.

COLLECTION PARTICULIÈRE

42
Red-Ochre Serial 1968
Acrylic on canvas
228.6 x 198.1 cm (90 x 78 in.)

INSCRIPTION: signed and dated *verso* upper left: *MOLINARI ROME/5 MONTREAL/11/68.*
EXHIBITION: Toronto, Carmen Lamanna Gallery, 13 March–1 April 1969, *Molinari*.

PRIVATE COLLECTION

43
Dyade brun-bleu
Dyade orange-vert
Dyade vert-rouge 1968–1969
Acrylique sur toile
292,4 x 231,5 cm (115-1/8 x 91-1/8 po) chacun

EXPOSITIONS: Montréal, Galerie Sherbrooke, 20 mars – 9 avril 1969, *Guido Molinari.* Tel-Aviv, Musée de Tel-Aviv, Pavillon Helena Rubinstein, 12 novembre – 12 décembre 1970, *Huit artistes du Canada*, n°s 24, 25, 26.
BIBLIOGRAPHIE: Ballantyne (Michel): *Barbeau, Molinari Exhibitions – More Than Meets the Eye*, dans *The Montreal Star*, Montréal, 29 mars 1969. Basile (Jean): *Découvrons Molinari*, dans *Le Devoir*, Montréal, 29 mars 1969. Heywood (Irene): *Colour Seen As Light/Molinari Exhibit Goes Back 15 Years*, dans *The Gazette*, Montréal, 29 mars 1969. Thériault (Normand): *Molinari: des encres . . . aux bandes élargies*, dans *La Presse*, Montréal, 29 mars 1969. Dumas (Paul): *La peinture de Guido Molinari*, dans *L'Information Médicale et Paramédicale*, Montréal, 3 juin 1969, p. 25. Théberge (Pierre): *Molinari, An Interview*, dans *Artscanada*, t. XXVI, n° 3, livraison n° 132/133 (juin 1969), p. 38. Bardo (Arthur): *Back to Square One: A Discussion*, dans *The Montreal Star*, 3 janvier 1970.

GALERIE NATIONALE DU CANADA, OTTAWA

44
Structure n° 1 1956–1969
Émail sur toile
231,1 x 293,1 cm (91 x 115-3/8 po)

43
Brown-Blue Dyad
Orange-Green Dyad
Green-Red Dyad 1968–1969
Acrylic on canvas
Each painting 292.4 x 231.5 cm (115-1/8 x 91-1/8 in.)

EXHIBITIONS: Montreal, Galerie Sherbrooke, 20 March–9 April 1969, *Guido Molinari.* Tel Aviv, Tel Aviv Museum, Helen Rubinstein Pavillion, 12 November–12 December 1970, *Eigh Artists from Canada*, nos 24, 25, 26.
BIBLIOGRAPHY: Michel Ballantyne, "Barbeau, Molinari Exh tions – More Than Meets the Eye," *The Montreal Star* (29 Mar 1969). Jean Basile, "Découvrons Molinari," *Le Devoir* (Montre 29 March 1969. Irene Heywood, "Colour Seen as Lig Molinari Exhibit Goes Back 15 Years," *The Gazette* (Montreal), 29 March 1969. Normand Thériault, "Molinari: des encres . . . aux bandes élargies," *La Presse* (Montreal), 29 March 1969. Paul Dumas, "La peinture de Guido Molinari," *L'Information Médicale et Paramédicale* (Montreal), 3 June 1969, p. 25. Pierre Théberge, "Molinari, An Interview," *artscanada*, vol. XXVI, no. 3, issue no. 132/133 (June 1969), p. 38. Arthur Bardo, "Back to Square One: A Discussion," *The Montreal Star* (3 January 1970).

THE NATIONAL GALLERY OF CANADA, OTTAWA

44
Structure No. 1 1956–1969
Enamel on canvas
231.1 x 293.1 cm (91 x 115-3/8 in.)

INSCRIPTION: signé et daté au verso: *MOLINAR 5/69*
Tableau fait à partir d'une esquisse de 1956 (collection particulière).
EXPOSITIONS: Ottawa, Galerie nationale du Canada, 30 janvier – 28 février 1970, *Quatre-vingt-dixième exposition annuelle / Académie royale des arts du Canada*, nº 52. Montréal, Musée d'Art Contemporain, 16 septembre – 25 octobre 1970; Québec, Musée du Québec, 4–29 novembre 1970; *Concours Artistiques du Québec '70.*

COLLECTION PARTICULIÈRE

45
Opposition rectangulaire nº 2 1969
Acrylique sur toile
263,5 x 228,6 cm (103-3/4 x 90 po)

INSCRIPTION: signé et daté au verso, en haut à gauche: *MOLINARI 5/69*

COLLECTION PARTICULIÈRE

46
Structure gris-bleu 1970
Acrylique sur toile
173 x 173 cm (68-1/8 x 68-1/8 po)

INSCRIPTION: signé et daté au verso, en haut à gauche: *MOLINARI 1/70*

INSCRIPTION: signed and dated *verso*: *MOLINARI 5/69.*
Painting done from a 1956 sketch (private collection).
EXHIBITIONS: Ottawa, The National Gallery of Canada, 30 January–28 February 1970, *Ninetieth Annual Exhibition Royal Canadian Academy of Arts*, no. 52. Montreal, Musée d'Art Contemporain, 16 September–25 October 1970; and Quebec, Musée du Québec, 4–29 November 1970, *Concours Artistiques du Québec '70.*

PRIVATE COLLECTION

45
Rectangular Opposition No. 2 1969
Acrylic on canvas
263.5 x 228.6 cm (103-3/4 x 90 in.)

INSCRIPTION: signed and dated *verso* upper left: *MOLINARI 5/69.*

PRIVATE COLLECTION

46
Grey-Blue Structure 1970
Acrylic on canvas
173 x 173 cm (68-1/8 x 68-1/8 in.)

INSCRIPTION: signed and dated *verso* upper left: *MOLINARI 1/70.*

43

EXPOSITIONS: Toronto, Carmen Lamanna Gallery, 21 novembre – 10 décembre 1970, *Guido Molinari*. Toronto, Carmen Lamanna Gallery, 6–25 mars 1971, exposition de groupe.

COLLECTION PARTICULIÈRE

47
Hommage à Barnett Newman 1970
Acrylique sur toile
231,1 x 292,1 cm (91 x 115 po)

INSCRIPTION: signé et daté au verso, en haut à gauche: *MOLINARI/70*
EXPOSITIONS: Montréal, Musée d'Art Contemporain, 16 septembre – 25 octobre 1970; Musée du Québec, Québec, 4–29 novembre 1970; *Concours Artistiques du Québec '70*.
BIBLIOGRAPHIE: Lord (Barry) *the Concours artistique du Québec 1970*, dans *Artscanada*, t. XXVII, n° 6, livraison n° 150/151, décembre 1970/janvier 1971, p. 61–63, repr. p. 62, Bengle (Céline): *Discours sur Molinari* [1973?], p. cr 8. Teyssèdre (Bernard): *Guido Molinari un point limite de l'abstraction chromatique*, 1974, p. 14.

COLLECTION PARTICULIÈRE

48
Structure triangulaire vert-brun 1971
Acrylique sur toile
198,1 x 198,1 cm (78 x 78 po)

EXHIBITIONS: Toronto, Carmen Lamanna Gallery, 21 November–10 December 1970, *Guido Molinari*. Toronto, Carmen Lamanna Gallery, 6–25 March 1971, Group exhibition.

PRIVATE COLLECTION

47
Homage to Barnett Newman 1970
Acrylic on canvas
231.1 x 292.1 cm (91 x 115 in.)

INSCRIPTION: signed and dated *verso* upper left: *MOLINARI/70*.
EXHIBITIONS: Montreal, Musée d'Art Contemporain, 16 September–25 October 1970; and Quebec, Musée du Québec, 4–29 November 1970, *Concours Artistiques du Québec '70*.
BIBLIOGRAPHY: Barry Lord, "the concours artistiques du Québec 1970," *artscanada*, vol. XXVII, no. 6, issue no. 150/151 (December 1970/January 1971), pp. 61–63, repr. p. 62. Céline Bengle, *Discours sur Molinari* (1973?), p. cr 8. Bernard Teyssèdre, *Guido Molinari un point limite de l'abstraction chromatique* (1974), p. 14.

PRIVATE COLLECTION

48
Green-Brown Triangular Structure 1971
Acrylic on canvas
198.1 x 198.1 cm (78 x 78 in.)

44

45

INSCRIPTION: signé et daté au verso, en haut à droite: *MOLINARI 4/71*

COLLECTION PARTICULIÈRE

49
Position triangulaire jaune-vert 1972
Acrylique sur toile
243,8 x 121,9 cm (96 x 48 po)

INSCRIPTION: signé et daté au verso, en haut à gauche: *MOLINARI 12/72*
EXPOSITION: Québec, Galerie Jolliet, 23 janvier – 17 février 1973, *Molinari.*

COLLECTION PARTICULIÈRE

50
Tryptique bleu 1973
Acrylique sur toile
293 x 229,2 cm (115-3/8 x 90-1/4 po)

INSCRIPTION: signé et daté, au verso, chacun, en haut à droite: *MOLINARI 5/73*

COLLECTION PARTICULIÈRE

INSCRIPTION: signed and dated *verso* upper right: *MOLINARI 4/71.*

PRIVATE COLLECTION

49
Yellow-Green Triangular Position 1972
Acrylic on canvas
243.8 x 121.9 cm (96 x 48 in.)

INSCRIPTION: signed and dated *verso* upper left: *MOLINARI 12/72.*
EXHIBITION: Quebec, Galerie Jolliet, 23 January–17 February 1973, *Molinari.*

PRIVATE COLLECTION

50
Blue Triptych 1973
Acrylic on canvas
293 x 229.2 cm (115-3/8 x 90-1/4 in.)

INSCRIPTION: signed and dated *verso*, each panel, upper right: *MOLINARI 5/73.*

PRIVATE COLLECTION

49

50

Dessins

Drawings

A moins d'avis contraire, tous les dessins sont sans titre et sont à l'encre de chine sur papier. Ils sont tous signés et datés en bas et à droite de la feuille, sauf les n°s 77 et 79, et font tous partie d'une collection particulière.

All drawings are untitled and except for nos 66, 67, 68, and 69 are India ink on paper. All except nos 77 and 79 are signed and dated in the lower right hand corner of the sheet. They are all in a private collection.

51
28 x 34,9 cm (11 x 13-3/4 po)
INSCRIPTION: *G. Molinari. 53*

52
28 x 34,6 cm (11 x 13-5/8 po)
INSCRIPTION: *G. Molinari 53*

53
28 x 34,6 cm (11 x 13-5/8 po)
INSCRIPTION: *G. Molinari 54*

54
48 x 63,4 cm (18-7/8 x 24-15/16 po)
INSCRIPTION: *G. Molinari 54*

51
28 x 34.9 cm (11 x 13-3/4 in.)
INSCRIPTION: *G. Molinari. 53.*

52
28 x 34.6 cm (11 x 13-5/8 in.)
INSCRIPTION: *G. Molinari 53.*

53
28 x 34.6 cm (11 x 13-5/8 in.)
INSCRIPTION: *G. Molinari 54.*

54
48 x 63.4 cm (18-7/8 x 24-15/16 in.)
INSCRIPTION: *G. Molinari 54.*

51

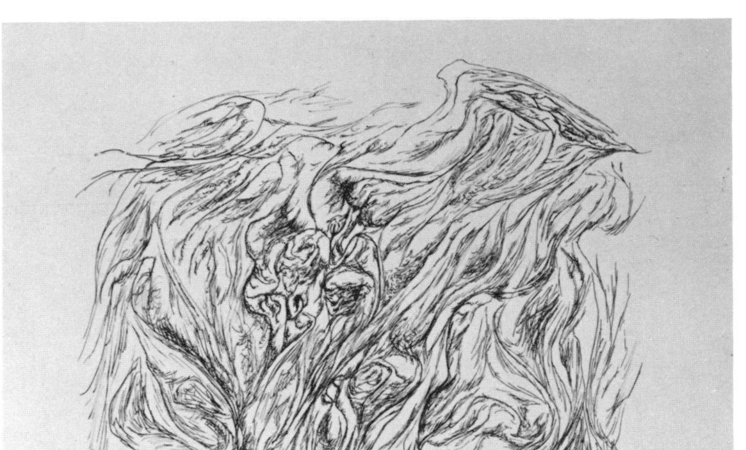

52

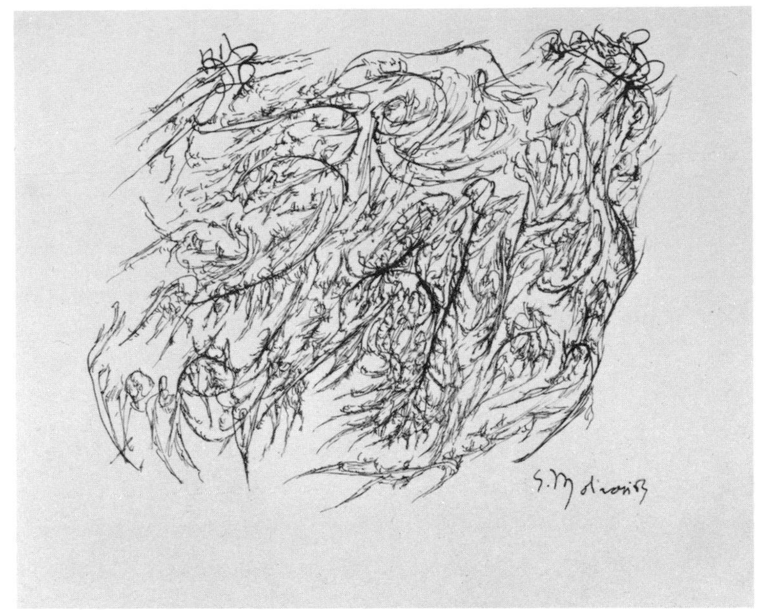

53

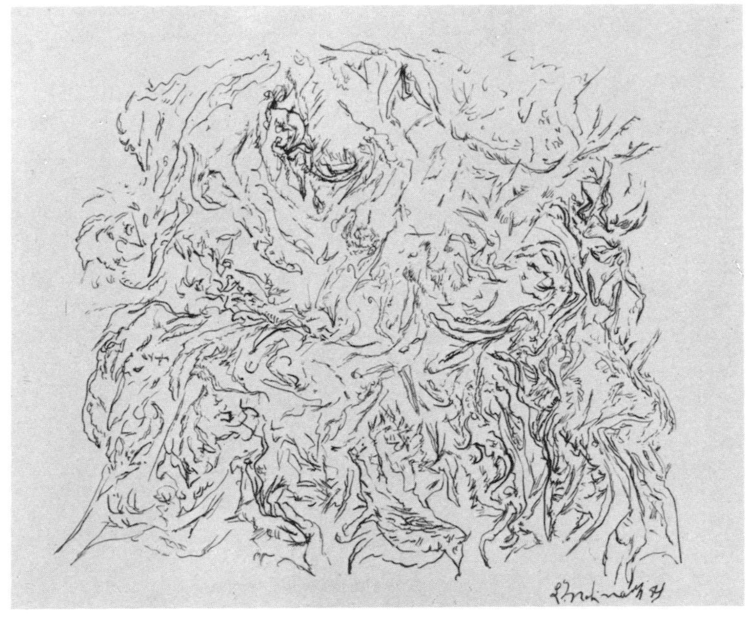

54

55
47,9 x 32,1 cm (18-7/8 x 12-5/8 po)
INSCRIPTION: *Gmolinari 54*

56
31,2 x 48 cm (12-5/8 x 18-7/8 po)
INSCRIPTION: *Molinari 54*
EXPOSITION: Montréal, l'Échourie, 2–23 décembre 1954, *Molinari, dessins.*

57
28 x 34,6 cm (11 x 13-5/8 po)
INSCRIPTION: *G. Molinari 54*

58
28 x 34,9 cm (11 x 13-3/4 po)
INSCRIPTION: *g/Molinari 54*

55
47.9 x 32.1 cm (18-7/8 x 12-5/8 in.)
INSCRIPTION: *Gmolinari 54.*

56
31.2 x 48 cm (12-5/8 x 18-7/8 in.)
INSCRIPTION: *Molinari 54.*
EXHIBITION: Montreal, l'Échourie, 2–23 December 1954, *Molinari, dessins.*

57
28 x 34.6 cm (11 x 13-5/8 in.)
INSCRIPTION: *G. Molinari 54.*

58
28 x 34.9 cm (11 x 13-3/4 in.)
INSCRIPTION: *g/Molinari 54.*

55

56

57

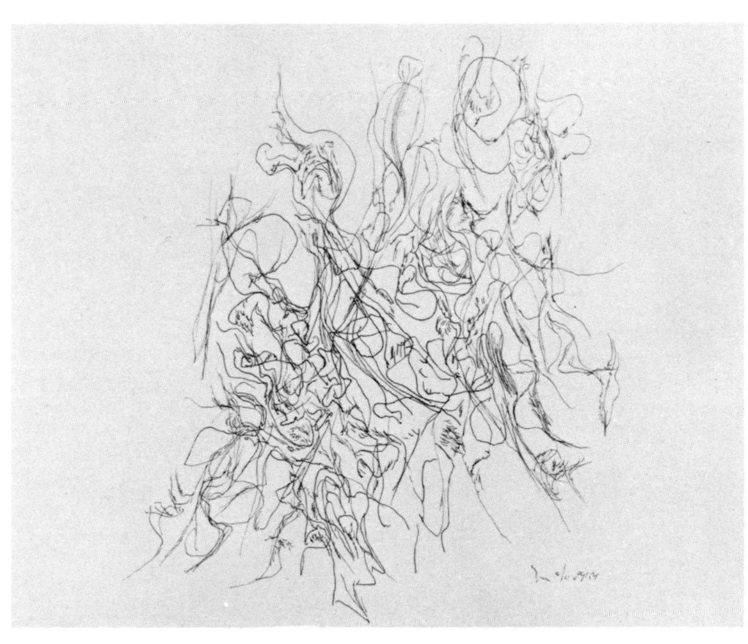

58

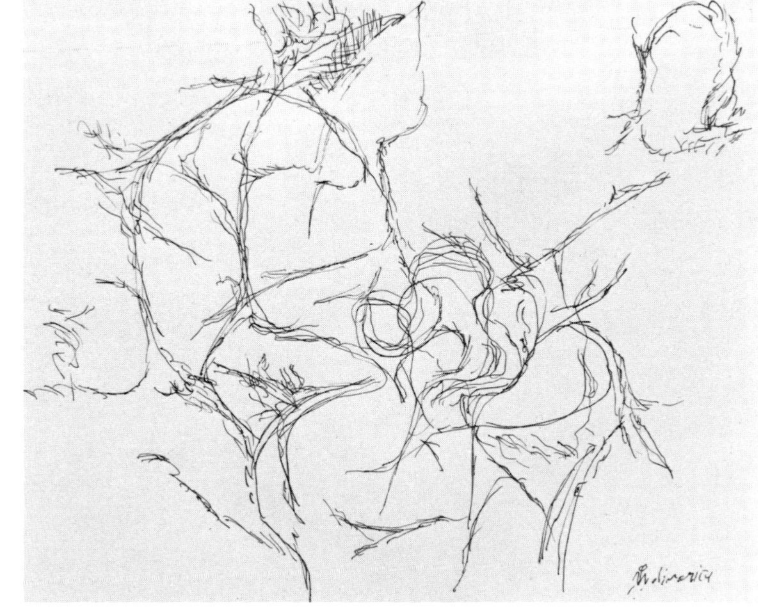

59
28 x 34,7 cm (11 x 13-11/16 po)
INSCRIPTION: *G. Molinari 54*

60
28 x 34,7 cm (11 x 13-11/16 po)
INSCRIPTION: *G. Molinari 54*

61
28 x 33,8 cm (11 x 13-5/16 po)
INSCRIPTION: *Gmolinari 54*

62
28 x 34,5 cm (11 x 13-5/8 po)
INSCRIPTION: *G. Molinari 54*

59
28 x 34.7 cm (11 x 13-11/16 in.)
INSCRIPTION: *G. Molinari 54.*

60
28 x 34.7 cm (11 x 13-11/16 in.)
INSCRIPTION: *G. Molinari 54.*

61
28 x 33.8 cm (11 x 13-5/16 in.)
INSCRIPTION: *Gmolinari 54.*

62
28 x 34.5 cm (11 x 13-5/8 in.)
INSCRIPTION: *G. Molinari 54.*

59

60

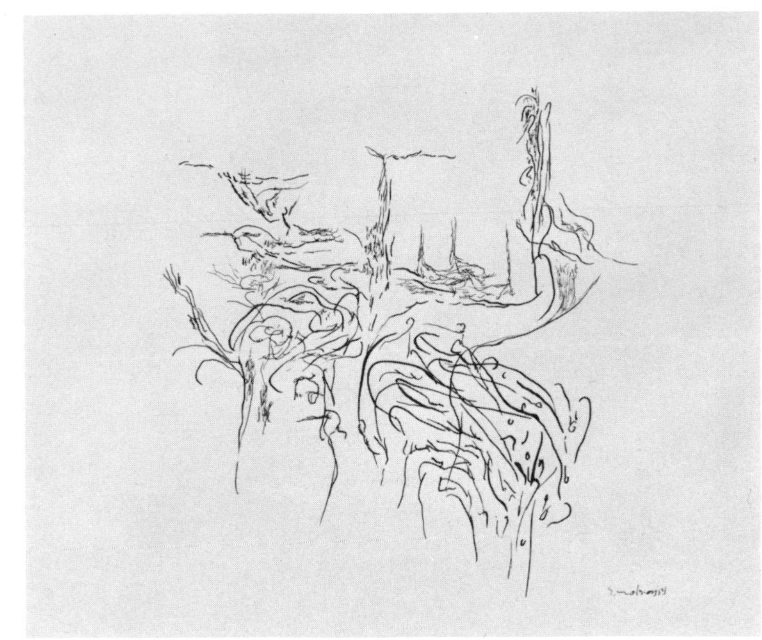

61

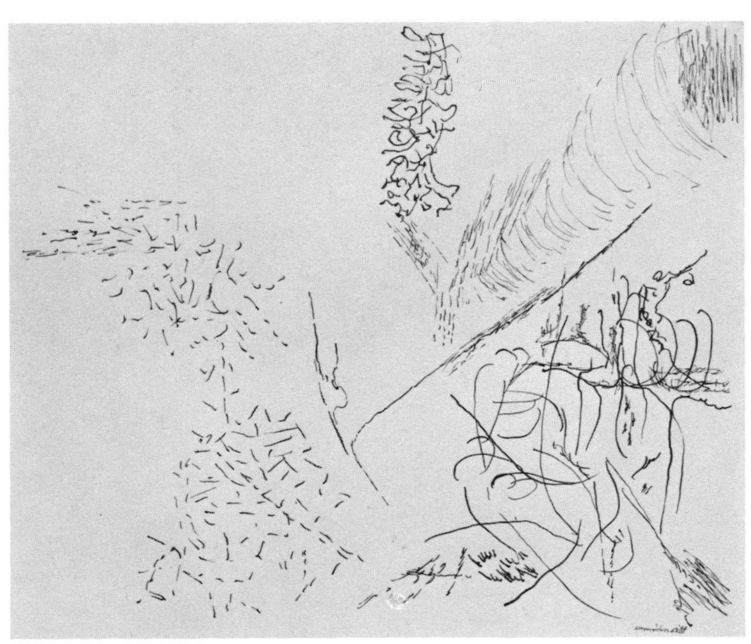

62

63
28 x 34,8 cm (11 x 13-11/16 po)
INSCRIPTION: *G. Molinari 54*

64
45,6 x 60,8 cm (17-15/16 x 23-15/16 po)
INSCRIPTION: *GM* (monogramme) *55*

65
45,7 x 60,8 cm (18 x 23-15/16 po)
INSCRIPTION: *G Molinari 55*

66
Encre de chine sur carton
50,8 x 55,9 cm (20 x 22 po)
INSCRIPTION: *G. Molinari 55*

63
28 x 34.8 cm (11 x 13-11/16 in.)
INSCRIPTION: *G. Molinari 54.*

64
45.6 x 60.8 cm (17-15/16 x 23-15/16 in.)
INSCRIPTION: *GM* (monogram) *55.*

65
45.7 x 60.8 cm (18 x 23-15/16 in.)
INSCRIPTION: *G Molinari 55.*

66
India ink on cardboard
50.8 x 55.9 cm (20 x 22 in.)
INSCRIPTION: *G. Molinari 55.*

63

64

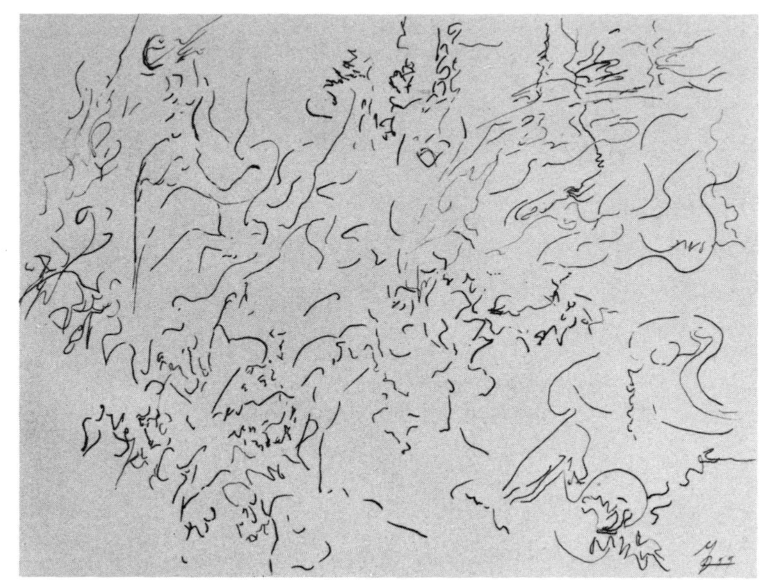

65

66

67
Aquarelle sur papier
35,3 x 42,4 cm (13-7/8 x 16-11/16 po)
INSCRIPTION (à l'encre) : *Gmolinari 55*

68
Aquarelle sur papier
35,4 x 42,4 cm (13-15/16 x 16-11/16 po)
INSCRIPTION (à l'encre) : *Gmolinari 55*

69
Teinture de chaussures sur papier
52 x 66 cm (20-7/16 x 26 po)
INSCRIPTION : *G. Molinari 1956*

70
Étude pour *Angle noir*
52 x 66 cm (20-7/16 x 26 po)
INSCRIPTION : *Molinari 56*

67
Watercolour on paper
35.3 x 42.4 cm (13-7/8 x 16-11/16 in.)
INSCRIPTION: (in ink): *Gmolinari 55.*

68
Watercolour on paper
35.4 x 42.4 cm (13-15/16 x 16-11/16 in.)
INSCRIPTION (in ink): *Gmolinari 55.*

69
Shoe dye on paper
52 x 66 cm (20-7/16 x 26 in.)
INSCRIPTION: *G. Molinari 1956.*

70
Sketch for *Black Angle*
52 x 66 cm (20-7/16 x 26 in.)
INSCRIPTION: *Molinari 56.*

67

68

69

70

71
66 x 52 cm (26 x 20-7/16 po)
INSCRIPTION: *G Molinari 1956*

72
47,7 x 63 cm (18-3/4 x 24-13/16 po)
INSCRIPTION: *G. Molinari 57*

73
35 x 28 cm (13-3/4 x 11 po)
INSCRIPTION: *Molinari 57*

71
66 x 52 cm (26 x 20-7/16 in.)
INSCRIPTION: *G Molinari 1956.*

72
47.7 x 63 cm (18-3/4 x 24-13/16 in.)
INSCRIPTION: *G. Molinari 57.*

73
35 x 28 cm (13-3/4 x 11 in.)
INSCRIPTION: *Molinari 57.*

71

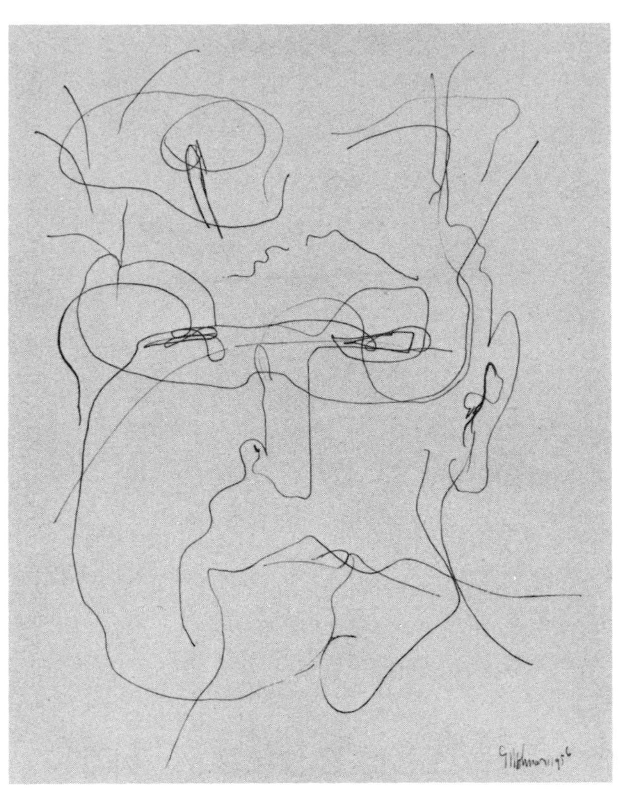

72

73

74
60,7 x 45,5 cm (23-7/8 x 17-7/8 po)
INSCRIPTION: *Molinari 57*

75
66 x 50,9 cm (26 x 20-1/16 po)
INSCRIPTION: *G. Molinari 957*

76
52,1 x 66,1 cm (20-1/2 x 26 po)
INSCRIPTION: *G. Molinari 57*

74
60.7 x 45.5 cm (23-7/8 x 17-7/8 in.)
INSCRIPTION: *Molinari 57.*

75
66 x 50.9 cm (26 x 20-1/16 in.)
INSCRIPTION: *G. Molinari 957.*

76
52.1 x 66.1 cm (20-1/2 x 26 in.)
INSCRIPTION: *G. Molinari 57.*

74

75

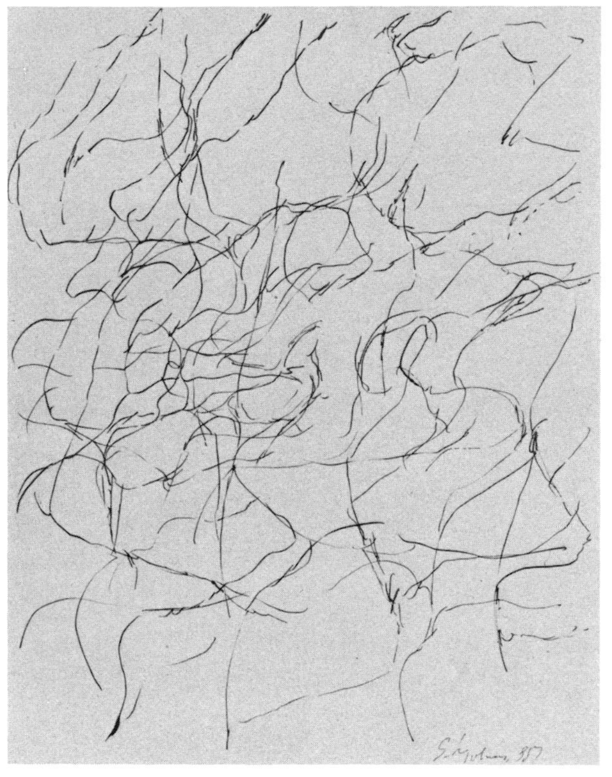

76

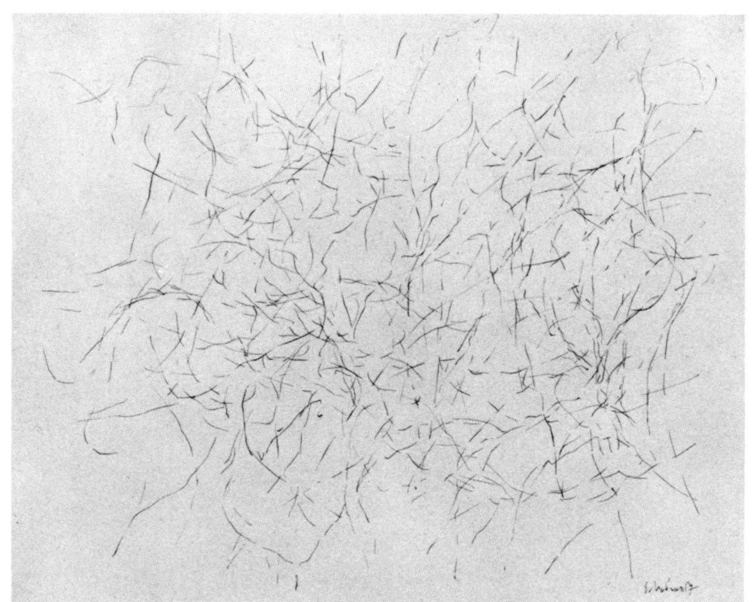

77
65,9 x 52 cm (25-15/16 x 20-7/16 po)
INSCRIPTION: (en bas, au centre) : *Molinari 58*

78
66 x 96,4 cm (26 x 37-15/16 po)
INSCRIPTION: *Molinari 58*

79
Stylo-feutre sur papier
45,5 x 60,8 cm (17-15/16 x 23-15/16 po)
Ni signé ni daté, fait en 1969.

77
65.9 x 52 cm (25-15/16 x 20-7/16 in.)
INSCRIPTION: bottom centre: *Molinari 58.*

78
66 x 96.4 cm (26 x 37-15/16 in.)
INSCRIPTION: *Molinari 58.*

79
Felt tip pen on paper
45.5 x 60.8 cm (17-15/16 x 23-15/16 in.)
Unsigned, undated, executed in 1969.

77

78

79

Expositions et Bibliographie choisie

Exhibitions and Selected Bibliography

Liste des expositions

Le mot *catalogue* renvoie au catalogue propre à l'exposition. L'astérisque (*) indique une exposition solo.

1953

Montréal, rue Ste-Catherine ouest, 1er–31 mai 1953, *La Place des Artistes.*

CRITIQUES: Ayre (Robert): *An Amazing Show Is Being Held In Loft*, dans *The Montreal Star*, Montréal, 9 mai 1953. De Repentigny (Rodolphe): *La Place des artistes, Exposition qui fera époque*, dans *La Presse*, Montréal, 2 mai 1953. De Repentigny (Rodolphe): *A la Place des artistes, Toute la peinture canadienne*, dans *La Presse*, Montréal, 6 mai 1953. Dufresne (Jean Victor): *Le Salon des Indépendants*, dans *La Patrie*, Montréal, 10 mai 1953. Macdonald (C. G.): *Gallery Notes...*, dans *The Herald*, Montréal, 27 mai 1953.

1954

*Montréal, l'Échourie, 2–23 décembre 1954, *Molinari Dessins.*

CRITIQUES: De Repentigny (Rodolphe): *Figures, formes et graphismes*, dans *La Presse*, Montréal, 11 décembre 1954. De Verdun (BernHard): rubrique *Centre d'art/Art Center*, dans *Le Messager/The Messenger*, Verdun (Québec), 23 décembre 1954. Gladu (Paul): *Molinari le bohème*, dans *Le Petit Journal*, Montréal, 12 décembre 1954.

1955

Montréal, Musée des beaux-arts de Montréal, Galeries XII et XIII, 11–28 février 1955, *Espace '55*. Catalogue.

CRITIQUE: De Repentigny (Rodolphe): *Au Musée des Beaux-Arts, microcosmes de Lajoie et Molinari, paraphes de Dupras, et autres*, dans *La Presse*, Montréal, 25 février 1955.

Montréal, Galerie l'Actuelle, 28 mai – 23 juin 1955 (exposition collective lors de l'ouverture de la Galerie).

CRITIQUES: De Repentigny (Rodolphe): *En attendant des murs à peindre*, dans *La Presse*, Montréal, 11 juin 1955. Doyon (Charles): *Une galerie non-figurative, l'Actuelle*, dans *La Réforme*, Montréal, 22 juin 1955.

Montréal, École des Hautes Études Commerciales, 12–30 novembre 1955, *Exposition de Peinture Canadienne*. Catalogue.

CRITIQUES: Ayre (Robert): *Students Surprise Themselves With First Rate Exhibition*, dans *The Montreal Star*, Montréal, 19 novembre 1955. Blair (Robert): *Quel est l'intérêt de la plastique? Et pour qui?*, dans *Le Quartier Latin*, Montréal, 17

List of exhibitions

An asterisk (*) signifies a solo exhibition. The word "catalogue" refers to the catalogue of the specific exhibition listed.

1953

Montreal, [?] St. Catherine Street West, *La Place des Artistes*, 1–31 May 1953.

REVIEWS: Robert Ayre, "An Amazing Show is Being Held in Loft," *The Montreal Star*, 9 May 1953. Rodolphe de Repentigny, "La Place des artistes: Exposition qui fera époque," *La Presse* (Montreal), 2 May 1953. Rodolphe de Repentigny,"A la Place des artistes: Toute la peinture canadienne," *La Presse* (Montreal), 6 May 1953. Jean Victor Dufresne, "Le Salon des Indépendants," *La Patrie* (Montreal), 10 May 1953. C. G. Macdonald, "Gallery Notes...," *The Herald* (Montreal), 27 May 1953.

1954

*Montreal, Restaurant l'Échourie, *Molinari Dessins*, 2–23 December 1954.

REVIEWS: Rodolphe de Repentigny, "Figures, formes et graphismes," *La Presse* (Montreal), 11 December 1954. BernHard de Verdun, "Centre d'art, Art Center," *Le Messager – The Messenger* (Verdun, Quebec), 23 December 1954. Paul Gladu, "Molinari le bohème," *Le Petit Journal* (Montreal), 12 December 1954.

1955

Montreal, Montreal Museum of Fine Arts (Galleries XII and XIII), *Espace '55*, 11–28 February 1955. Catalogue.

REVIEW: Rodolphe de Repentigny, "Au Musée des Beaux-Arts, microcosmes de Lajoie et Molinari, paraphes de Dupras, et autres," *La Presse* (Montreal), 25 Februray 1955.

Montreal, Galerie l'Actuelle (group exhibition before the opening of the gallery), 28 May–23 June 1955.

REVIEWS: Rodolphe de Repentigny, "En attendant des murs à peindre," *La Presse* (Montreal), 11 June 1955. Charles Doyon, "Une galerie non-figurative, l'Actuelle," *La Réforme* (Montreal), 22 June 1955.

Montreal, École des Hautes Études Commerciales, *Exposition de Peinture Canadienne*, 12–30 November 1955. Catalogue.

REVIEWS: Robert Ayre, "Students Surprise Themselves With First Rate Art Exhibition," *The Montreal Star*, 19 November 1955. Robert Blair, "Quel est l'intérêt de la plastique? Et pour qui?" *Le Quartier Latin* (Montreal), 17 November 1955. Noël

novembre 1955. Lajoie (Noël): *Le salon d'Automne?*, dans *Le Devoir*, Montréal, 19 novembre 1955. Saucier (Pierre): *Quatre-vingts peintres accueillis par Hermès*, dans *La Patrie*, Montréal, 13 novembre 1955. Senécal (Marie): *Nos peintres, coup d'œil d'ensemble*, dans *Le Quartier Latin*, Montréal, 17 novembre 1955, p. 4.

1956

Montréal, Île Ste-Hélène, Restaurant Hélène de Champlain, 27 février – 3 avril 1956, *Exposition de l'Association des artistes non-figuratifs de Montréal.*

CRITIQUES: Ayre (Robert): *All Isms of the Abstract at St. Helen's Island Exhibition*, dans *The Montreal Star*, Montréal, 10 mars 1956. De Repentigny (Rodolphe): *Un premier Salon non-figuratif*, dans *La Presse*, Montréal, 3 mars 1956. De Repentigny (Rodolphe): sous «*Expositions*», dans *Vie des Arts*, t. II, mars–avril 1956, p. 26–27. Lajoie (Noël): *L'exposition de l'AANFM*, dans *Le Devoir*, Montréal, 10 mars 1956.

*Montréal, Galerie l'Actuelle, 30 avril – 14 mai 1956, *Exposition Guido Molinari.*

CRITIQUES: Ayre (Robert): *Molinari Exhibit at l'Actuelle*, dans *The Montreal Star*, Montréal, 5 mai 1956. De Repentigny (Rodolphe): *Les peintures en noir et blanc de Molinari*, dans *La Presse*, Montréal, 15 mai 1956. Lajoie (Noël): *Exposition Guido Molinari*, dans *Le Devoir*, Montréal, 5 mai 1956.

Montréal, Île Sainte-Hélène, Restaurant Hélène de Champlain, 4 juin – 3 septembre 1956, *Panorama de la peinture montréalaise.*

Montréal, Musée des beaux-arts de Montréal, 7–31 août 1956, *Les Arts du Québec.*

New York, Parma Gallery, 14–29 septembre 1956, *Modern Canadian Painters.*

CRITIQUE: J.[ames] R.M.[ellow]: *Modern Canadian Painters*, sous «*In the Galleries*», dans *Arts Magazine*, t. 30, n° 12, septembre 1956, p. 58.

1957

Montréal, Musée des beaux-arts de Montréal, 22 février – 17 mars 1957; Cowansville, Centre d'art, 13–26 avril 1957; Québec, Musée de la Province, 9–26 mai 1957, *Deuxième exposition annuelle – Second Annual Show, Association des artistes non-figuratifs de Montréal 1957.* Catalogue.

CRITIQUE: De Repentigny (Rodolphe): *L'art abstrait en force au Musée*, dans *La Presse*, Montréal, 23 février 1957.

Lajoie, "Le salon d'Automne?" *Le Devoir* (Montreal), 19 November 1955. Pierre Saucier, "Quatre-vingts peintres accueillis par Hermès," *La Patrie* (Montreal), 13 November 1955. Marie Senécal, "Nos Peintres, Coup d'œil d'ensemble," *Le Quartier Latin* (Montreal), 17 November 1955, p. 4.

1956

Montreal, Saint Helen's Island, Restaurant Hélène de Champlain, *Exposition de l'Association des artistes non-figuratifs de Montréal*, 27 February–3 April 1956.

REVIEWS: Robert Ayre, "All Isms of the Abstract at St. Helen's Island Exhibition," *The Montreal Star*, 10 March 1956. Rodolphe de Repentigny, "Un premier Salon non-figuratif," *La Presse* (Montreal), 3 March 1956. Rodolphe de Repentigny, "Expositions," *Vie des Arts*, vol. II (March–April 1956), pp. 26–27. Noël Lajoie, "L'exposition de L'AANFM," *Le Devoir* (Montreal), 10 March 1956.

*Montreal, Galerie l'Actuelle, *Exposition Guido Molinari*, 30 April–14 May 1956.

REVIEWS: Robert Ayre, "Molinari Exhibit at l'Actuelle," *The Montreal Star*, 5 May 1956. Rodolphe de Repentigny, "Les peintures en noir et blanc de Molinari," *La Presse* (Montreal), 15 May 1956. Noël Lajoie, "Exposition Guido Molinari," *Le Devoir* (Montreal), 5 May 1956.

Montreal, Saint Helen's Island, Restaurant Hélène de Champlain, *Panorama de la peinture montréalaise*, 4 June–3 September 1956.

Montreal, Montreal Museum of Fine Arts, *Les Arts du Québec*, 7–31 August 1956.

New York, Parma Gallery, *Modern Canadian Painters*, 14–29 September 1956.

REVIEW: J.[ames] R.M.[ellow], "In the Galleries: Modern Canadian Painters," *Arts Magazine*, vol. 30, no. 12 (September 1956), p. 58.

1957

Montreal, Montreal Museum of Fine Arts, *Deuxième exposition annuelle – Second Annual Show, Association des artistes non-figuratifs de Montréal 1957*, 22 February–17 March 1957. Catalogue. Also exhibited: Cowansville, Centre d'Art, 13–26 April 1957; Quebec, Musée de la Province, 9–26 May 1957.

REVIEW: Rodolphe de Repentigny, "L'art abstrait en force au Musée," *La Presse* (Montreal), 23 February 1957.

Montréal, Galerie l'Actuelle, 7–19 mai 1957, *Guido Molinari, Claude Tousignant.*

CRITIQUE: Chicoine (René): *Invitation aux Chinois*, dans *Le Devoir*, Montréal, 16 mai 1957.

1958

Montréal, Musée des beaux-arts de Montréal, 28 mars – 27 avril 1958, *75th Annual Spring Exhibition*. Catalogue.

Montréal, Musée des beaux-arts de Montréal, 1er–23 août 1958, *Association des artistes non-figuratifs de Montréal.*

CRITIQUES: (Communiqué): *Les artistes non-figuratifs exposent aux Beaux-Arts*, dans *Le Devoir*, Montréal, 4 août 1958. Chicoine (René): *Les peintres non-figuratifs*, dans *Le Devoir*, Montréal, 16 août 1958.

*Montréal, Galerie Artek, 18 novembre – 6 décembre 1958, *Calligraphies Molinari.*

CRITIQUES: Chicoine (René): *J'aime l'antiquité et cherche sérieusement à y trouver le savoir*, dans *Le Devoir*, Montréal, 21 novembre 1958. De Repentigny (Rodolphe): *Dessins, peintures, sculptures*, dans *La Presse*, Montréal, 29 novembre 1958. Folch: sous «*Expositions*», *La ballade du badaud*, dans *Vie des Arts*, nº 13, Noël 1958, p. 54–59.

Montréal, Île Ste-Hélène, Restaurant Hélène de Champlain, 27 novembre – 14 décembre 1958, *Les Moins de Trente Ans.*

CRITIQUE: Saucier (Pierre): *Les moins de trente ans à l'Île Sainte-Hélène*, dans *L'Information Médicale et Paramédicale*, Montréal, 16 décembre 1958.

1959

Montréal, École des Beaux-Arts, 12–27 janvier 1959, *Art Abstrait*. Catalogue.

CRITIQUES: Ayre (Robert): *Abstractions by the Purest of the Pure*, dans *The Montreal Star*, Montréal, 17 janvier 1959. Chicoine (Réne): *Les jeunes hommes en quelle ère (?)*, dans *Le Devoir*, Montréal, 24 janvier 1959. De Repentigny (Rodolphe): *7 peintres s'adressent au public*, dans *La Presse*, Montréal, 10 janvier 1959. De Repentigny (Rodolphe): *Une exposition rutilante*, dans *La Presse*, Montréal, 17 janvier 1959. Folch: sous «*Expositions*», dans *Vie des Arts*, nº 14, printemps 1959, p. 29–31.

Montréal, École des Beaux-Arts, 18–29 février 1959, *Salon de la Jeune Peinture.*

Montreal, Galerie l'Actuelle, *Guido Molinari, Claude Tousignant*, 7–19 May 1957.

REVIEW: René Chicoine, "Invitation aux Chinois," *Le Devoir* (Montreal), 16 May 1957.

1958

Montreal, Montreal Museum of Fine Arts, *75th Annual Spring Exhibition*, 28 March–27 April 1958. Catalogue.

Montreal, Montreal Museum of Fine Arts, *Association des artistes non-figuratifs de Montréal*, 1–23 August 1958.

REVIEWS: "Les artistes non-figuratifs exposent aux Beaux-Arts," *Le Devoir* (Montreal), 4 August 1958. Press release. René Chicoine, "Les peintres non-figuratifs," *Le Devoir* (Montreal), 16 August 1958.

*Montreal, Galerie Artek, *Calligraphies Molinari*, 18 November–6 December 1958.

REVIEWS: René Chicoine, "J'aime l'antiquité et cherche sérieusement à y trouver le savoir," *Le Devoir* (Montreal), 21 November 1958. Rodolphe de Repentigny, "Dessins, peintures, sculptures," *La Presse* (Montreal), 29 November 1958. Folch, "Expositions: La ballade du badaud," *Vie des Arts*, no. 13 (Christmas 1958), pp. 54–59.

Montreal, Saint Helen's Island, Restaurant Hélène de Champlain, *Les Moins de Trente Ans*, 27 November–14 December 1958.

REVIEW: Pierre Saucier, "Les moins de trente ans à l'Île Sainte-Hélène," *L'Information Médicale et Paramédicale* (Montreal), 16 December 1958.

1959

Montreal, École des Beaux-Arts, *Art Abstrait*, 12–27 January 1959. Catalogue.

REVIEWS: Robert Ayre, "Abstractions by the Purest of the Pure," *The Montreal Star*, 17 January 1969. René Chicoine, "Les jeunes hommes en quelle ère(?)," *Le Devoir* (Montreal) 24 January 1959. Rodolphe de Repentigny, "7 peintres s'adressent au public," *La Presse* (Montreal), 10 January 1959. Rodolphe de Repentigny, "Une exposition rutilante," *La Presse* (Montreal), 17 January 1959. Folch, "Expositions," *Vie des Arts*, no. 14 (Spring 1959), pp. 29–31.

Montreal, École des Beaux-Arts, *Salon de la Jeune Peinture*, 18–29 February 1959.

Montréal, Musée des beaux-arts de Montréal, 3 avril – 3 mai 1959, *76th Annual Spring Exhibition*. Catalogue.

Ottawa, Galerie nationale du Canada, 11 juin – 5 juillet 1959, *Troisième Exposition biennale d'art canadien*. Catalogue.

*Montréal, Île Ste-Hélène, Restaurant Hélène de Champlain, 8 juillet – 18 août 1959, *Aspects de la Jeune Peinture*.

CRITIQUE: Folch: *Essai de Situation*, sous «*Expositions*», dans *Vie des Arts*, nº 17, Noël 1959, p. 60–62.

New York, Maison du Canada, 1er–15 décembre 1959, *Aspect of Canadian Painting/Aspect de la peinture canadienne*. Catalogue.

1960

Montréal, Musée des beaux-arts de Montréal, 8 avril – 8 mai 1960, *77e Salon annuel du printemps*. Catalogue.

Montréal, École des Beaux-Arts, 14–30 janvier 1960, *Exposition de l'Association des Artistes Non-Figuratifs de Montréal*.

CRITIQUES: Ayre (Robert): *Montreal's Non-Figuratives and Other Canadian Painters*, dans *The Montreal Star*, Montréal, 30 janvier 1960. De Repentigny (Françoise): *Les peintres de l'AANFM ont l'âge de raison: leur art est en pleine force*, dans *Le Devoir*, Montréal, 16 janvier 1960.

Montréal, Galerie Denyse Delrue, 1er–15 octobre 1960, *Espace dynamique* (Guido Molinari, Claude Tousignant, Luigi Perciballi, Denis Juneau).

Winnipeg, Winnipeg Art Gallery, 12–30 novembre 1960, *The Sixth Winnipeg Show*. Catalogue.

Ottawa, Galerie nationale du Canada, 1960–1961, *L'Association des Artistes Non-Figuratifs de Montréal* (exposition itinérante). Catalogue.

1961

Montréal, Musée des beaux-arts de Montréal, Galerie XII, 7–23 avril 1961, *Guido Molinari–Claude Tousignant*.

Montréal, Musée des beaux-arts de Montréal, 8 avril – 7 mai 1961, *78e Salon annuel du printemps*. Catalogue.

Ottawa, Galerie nationale du Canada, 19 mai – 4 septembre 1961, *Quatrième Exposition biennale d'art canadien*. Catalogue.

Montreal, Montreal Museum of Fine Arts, *76th Annual Spring Exhibition*, 3 April–3 May 1959. Catalogue.

Ottawa, The National Gallery of Canada, *Third Biennial Exhibition of Canadian Art*, 11 June–5 July 1959. Catalogue.

*Montreal, Saint Helen's Island, Restaurant Hélène de Champlain, *Aspects de la Jeune Peinture*, 8 July–18 August 1959.

REVIEWS: Folch, "Expositions: Essai de Situation," *Vie des Arts*, no. 17 (Christmas 1959), pp. 60–62.

New York, Canada House, *Aspect of Canadian Painting/Aspect de la peinture canadienne*, 1–15 December 1959. Catalogue.

1960

Montreal, Montreal Museum of Fine Arts, *77th Annual Spring Exhibition*, 8 April–8 May 1960. Catalogue.

Montreal, École des Beaux–Arts, *Exposition de l'Association des Artistes Non-Figuratifs de Montréal*, 14–30 January 1960.

REVIEWS: Robert Ayre, "Montreal's Non-Figuratives and Other Canadian Painters," *The Montreal Star*, 30 January 1960. Françoise de Repentigny, "Les peintres de l'AANFM ont l'age de raison: leur art est en pleine force," *Le Devoir* (Montreal), 16 January 1960.

Montreal, Galerie Denyse Delrue, *Espace dynamique* (Guido Molinari, Claude Tousignant, Luigi Perciballi, Denis Juneau), 1–15 October 1960.

Winnipeg, Winnipeg Art Gallery, *The Sixth Winnipeg Show*, 12–30 November 1960. Catalogue.

Ottawa, The National Gallery of Canada, *The Non-Figurative Artists Association of Montreal* (travelling exhibition), 1960–1961, Catalogue.

1961

Montreal, Montreal Museum of Fine Arts, Gallery XII, *Guido Molinari–Claude Tousignant*, 7–23 April 1961.

Montreal, Montreal Museum of Fine Arts *78th Annual Spring Exhibition*, 8 April–7 May 1961. Catalogue.

Ottawa, The National Gallery of Canada, *Fourth Biennial Exhibition of Canadian Art*, 19 May–4 September 1961. Catalogue.

Stratford (Ontario), Festival Art Exhibition, 19 juin – 23 septembre 1961, *25 Quebec Painters*. Catalogue.

Paris, Musée d'Art Moderne de la Ville de Paris, 29 septembre – 5 novembre 1961, *Deuxième Biennale de Paris*. Catalogue.
CRITIQUE: Payette (Lise): *La Biennale de Paris, la participation du Québec n'amuse pas autant les visiteurs que le fameux marché aux puces*, dans *Le Nouveau Journal*, Montréal, 21 octobre 1961.

Québec, Musée du Québec, 27 septembre – 15 octobre 1961; Montréal, École des Beaux-Arts, 20–30 novembre 1961; *Concours de la Province*.

1962

Montréal, Galerie Denyse Delrue, 3–24[?] février 1962, *La collection particulière de Charles Delloye*.

Montréal, Musée des beaux-arts de Montréal, 20–26 février 1962, *Exposition-vente*. Catalogue.

Montréal, Musée des beaux-arts de Montréal, 7 avril – 6 mai 1962, *79ᵉ Salon annuel du printemps*. Catalogue.
CRITIQUES: Robert (Guy): *Le Salon du Printemps*, sous «*Expositions*», dans *Vie des Arts*, nº 27, été 1962, p. 53–54. Sarazin (Jean): *Le Salon de Printemps (va de l'avant)*, dans *Le Nouveau Journal*, Montréal, 14 avril 1962.

New York, Camino Gallery, 20 avril – 10 mai 1962, *Geometric Abstraction in Canada*.
CRITIQUES: S.[arah] C.F.[aunce]: *Geometric Abstraction in Canada, sous «Reviews and Previews: New Names this Month*, dans *Art News*, t. 61, nº 3, mai 1962, p. 19. Millet (Robert): *New York: petite histoire d'une exposition*, dans *Le Nouveau Journal*, Montréal, 5 mai 1962. Palmer-Poroner: *Geometric Abstraction in Canada at the Camino Gallery*», New York, sous «*Art Reviews*», dans *Canadian Art*, t. XIX, nº 4, livraison nº 80, juillet–août 1962, p. 257–258.

Spolète (Italie), Palazzo Collicola, 26 juin – 23 août 1962, 5º Festival dei due Mondi, *La Peinture Canadienne Moderne, 25 années de Peinture au Canada-français*. Catalogue.

*Ville Saint-Laurent (Montréal), Collège de Saint-Laurent, Galerie Nova et Vetera, 18 octobre – 8 novembre 1962, *Guido Molinari*.
CRITIQUE: Jasmin (Claude): *Nova et Vetera: Une galerie d'art dans un collège*, dans *La Presse*, Montréal, 3 novembre 1962.

Stratford, Ontario, Festival Art Exhibition, *25 Quebec Painters*, 19 June–23 September 1961. Catalogue.

Paris, Musée d'Art Moderne de la Ville de Paris, *Deuxième Biennale de Paris*, 29 September–5 November 1961. Catalogue.
REVIEW: Lise Payette, "La Biennale de Paris, la participation du Québec n'amuse pas autant les visiteurs que le fameux marché aux puces," *Le Nouveau Journal* (Montreal), 21 October 1961.

Quebec, Musée du Québec, *Concours de la Province*, 27 September–15 October 1961. Also exhibited: Montreal, École des Beaux-Arts, 20–30 November 1961.

1962

Montreal, Galerie Denyse Delrue, *La collection particulière de Charles Delloye*, 3–24(?), February 1962.

Montreal, Montreal Museum of Fine Arts, *Exhibition Sale*, 20–26 February 1962. Catalogue.

Montreal, Montreal Museum of Fine Arts, *79th Annual Spring Exhibition*, 7 April–6 May 1962. Catalogue.
REVIEWS: Guy Robert, "Expositions: Le Salon du Printemps," *Vie des Arts*, no. 27 (Summer 1962), pp. 53–54. Jean Sarazin, "Le Salon de Printemps (va de l'avant), *Le Nouveau Journal* (Montreal), 14 April 1962.

New York, Camino Gallery, *Geometric Abstraction in Canada*, 20 April–10 May 1962.
REVIEWS: S.[arah] C.F.[aunce], "Reviews and previews: New names this month: Geometric Abstraction in Canada," *Art News*, vol. 61, no. 3 (May 1962), p. 19. Robert Millet, "New York: petite histoire d'une exposition," *Le Nouveau Journal* (Montreal), 5 May 1962. Palmer-Poroner, "Art Reviews: Geometric Abstraction in Canada at The Camino Gallery," *Canadian Art*, vol. XIX, no. 4, issue no. 80 (July/August 1962), pp. 257–258.

Spoleto (Italy), Palazzo Collicola, 5° Festival Dei Due Mondi, *La Peinture Canadienne Moderne, 25 années de Peinture au Canada-français*, 26 June–23 August 1962. Catalogue.

*Ville Saint-Laurent, Collège de Saint-Laurent, Galerie Nova et Vetera, *Guido Molinari*, 18 October–8 November 1962.
REVIEW: Claude Jasmin, "Nova et Vetera: Une galerie d'art dans un collège," *La Presse* (Montreal), 3 November 1962.

Louisville (Kentucky), The J. B. Speed Art Museum, 23 octobre – 25 novembre 1962, *19 Canadian Painters 1962*. Catalogue.
CRITIQUE: Brown (Theodore, M.): *19 Canadian Painters 1962 at the J. B. Speed Art Museum, Louisville, Kentucky*, dans *Canadian Art*, t. XX, nº 1, janvier–février 1963, livraison nº 83, p. 7.

Nairobi (Kenya), Sorsbie Gallery; Kampala (Ouganda), The Margaret Trowell School of Fine Art, Makerere College; et Durban (Afrique du Sud), Durban City Museum and Art Gallery, 1962–1963, *Contemporary Canadian Art* (exposition organisée par la Galerie nationale du Canada, Ottawa). Catalogue.

Winnipeg, Art Gallery, 10 novembre – 4 décembre 1962, *1st Biennial Winnipeg Show*. Catalogue.

*New York, East Hampton Gallery, 30 décembre 1962 – 19 janvier 1963, *Molinari*.
CRITIQUES: J.[ohnston] J.[ill]: *Guido Molinari*, sous «*Reviews and Previews: New Names this Month*», dans *Art News*, t. 61, nº 9, janvier 1963, p. 18, S.[idney] T.[illim]: *Guido Molinari*, sous «*New York Exhibitions: In the Galleries*», dans *Arts Magazine*, t. 37, nº 5, février 1963, p. 54.

1963

Toronto, Jerrold Morris International Gallery, 19–30 janvier 1963, *Clive Gray, Guido Molinari*.

Montréal, Musée des beaux-arts de Montréal, 24 janvier – 5 février 1963, *Sixième exposition annuelle et vente d'art canadien*. Catalogue.

Rochester (New York), Memorial Art Gallery, 25 janvier – 24 février 1963, *Contemporary Canadian Painting and Sculpture*. Catalogue.

Hamilton (Ontario), The Art Gallery of Hamilton, février 1963, *Fourteenth Annual Winter Exhibition*. Catalogue.

*Montréal, Galerie Libre, 20 mars – 2 avril 1963, *Molinari*.
CRITIQUES: Ayre (Robert): *Singing the Joy of Colour*, dans *The Montreal Star*, Montréal, 30 mars 1963. Jasmin (Claude): *Molinari: l'art de rayer...*, dans *La Presse*, Montréal, 30 mars 1963.

Ottawa, Section of the National Council of Jewish Women of Canada, 3–4 avril 1963, *Exhibition and Sale of Works by Leading Canadian Artists from Coast to Coast*. Catalogue.

Montréal, Musée des beaux-arts de Montréal, 5 avril – 5 mai 1963, *80e Salon annuel de printemps*. Catalogue.

Louisville, Kentucky, The J.B. Speed Art Museum, *19 Canadian Painters 1962*, 23 October–25 November 1962. Catalogue.
REVIEW: Theodore M. Brown, "19 Canadian Painters 1962 at the J.B. Speed Art Museum, Louisville, Kentucky," *Canadian Art*, vol. XX, no. 1, issue no. 83 (January/February 1963), p. 7.

Nairobi (Kenya), Sorsbie Gallery, *Contemporary Canadian Art* (exhibition organized by the National Gallery of Canada, 1962–1963). Catalogue. Also exhibited: Kampala (Uganda), The Margaret Trowell School of Fine Art, Makerere College; and Durban (South Africa), Durban City Museum and Art Gallery.

Winnipeg, Winnipeg Art Gallery, *1st Biennial Winnipeg Show*, 10 November–4 December 1962. Catalogue.

*New York, East Hampton Gallery, *Molinari*, 30 December 1962–19 January 1963.
REVIEWS: J.[ill] J.[ohnston], "Reviews and previews: New names this month: Guido Molinari," *Art News*, vol. 61, no. 9 (January 1963), p. 18. T.[illim], S.[idney] "New York Exhibitions: In the Galleries: Guido Molinari," *Arts Magazine*, vol. 37, no. 5 (February 1963), p. 54.

1963

Toronto, Jerrold Morris International Gallery, *Clive Gray, Guido Molinari*, 19–30 January 1963.

Montreal, Montreal Museum of Fine Arts, *Sixth Annual Exhibition and Sale of Canadian Art*, 24 January–5 February 1963. Catalogue.

Rochester, New York, Memorial Art Gallery, *Contemporary Canadian Painting and Sculpture*, 25 January–24 February 1963. Catalogue.

Hamilton, Ontario, The Art Gallery of Hamilton, *Fourteenth Annual Winter Exhibition*, February 1963. Catalogue.

*Montreal, Galerie Libre, *Molinari*, 20 March–2 April 1963.
REVIEWS: Robert Ayre, "Singing the Joy of Colour," *The Montreal Star*, 30 March 1963. Claude Jasmin, "Molinari: l'art de rayer...," *La Presse* (Montreal), 30 March 1963.

Ottawa, Section of the National Council of Jewish Women of Canada, *Exhibition and Sale of Works by Leading Canadian Artists from Coast to Coast*, 3–4 April 1963. Catalogue.

Montreal, Montreal Museum of Fine Arts, *80th Annual Spring Exhibition*, 5 April–5 May 1963. Catalogue.

*Montréal, Penthouse Gallery, 13 septembre – 11 octobre 1963, *Guido Molinari.*

Ottawa, Galerie nationale du Canada, 20 septembre – 27 octobre 1963, 5e *Exposition Biennale de la peinture canadienne.* Catalogue.

Montréal, Musée des beaux-arts de Montréal, Galerie de l'Étable, 9–30 octobre 1963, *Monochrome Painting.*

Montréal, École des Beaux-Arts, 21 octobre – 2 novembre 1963; Québec, Musée du Québec, 27 décembre 1963 – 2 février 1964; *Concours Artistiques du Québec 1963.*

Toronto, The Art Gallery of Toronto, 25 octobre – 11 novembre 1963, *Quebec-Ontario, 1963, 17th Annual Exhibition and Sale of Contemporary Canadian Art.* Catalogue.

1964

*New York, East Hampton Gallery, 25 janvier – 14 février 1964, *Molinari.*

CRITIQUES: J.[ames] H.B.[eck]: *Guido Molinari*, sous «*Reviews and Previews*», dans *Art News*, t. 62, n° 9, janvier 1964, p. 17. D.[on] J.[udd]: *Guido Molinari*, sous «*New York Exhibitions: In the Galleries*», dans *Arts Magazine*, t. 38, n° 6, mars 1964, p. 68. O'Doherty (Brian): *Art: Rouault Display Heads Openings*, dans *The New York Times*, New York, 1er février 1964.

Toronto, Jerrold Morris International Gallery, 8–26 février 1964, *Guido Molinari.*

CRITIQUE: Kilbourn (Elizabeth): *Vitality and Variety*, dans *Toronto Daily Star*, Toronto, 8 février 1964.

Montréal, Musée des beaux-arts de Montréal, 13–24 février 1964, *Septième exposition annuelle et vente d'œuvres canadiennes.* Catalogue.

*Regina (Sask.), Norman Mackenzie Art Gallery, 11–29 mars 1964; Vancouver, Vancouver Art Gallery, 17 avril – 17 mai 1964, *Molinari.* Catalogue.

CRITIQUES: Kyle (Flora): *Hard Edge Art Rather Shattering*, dans *The Vancouver Sun*, Vancouver, 24 avril 1964. MacLeod (Belinda): *Molinari Tries to Exclude Hints of Human Experience*, dans *The Vancouver Province*, Vancouver, 25 avril 1964. (Anonyme): *Art of Different Stripe Displayed to Lure Public*, dans *The Vancouver Sun*, Vancouver, 22 avril 1964.

Montréal, Musée des beaux-arts de Montréal, 7 avril – 3 mai 1964, *81e Salon annuel du printemps.* Catalogue.

*Montreal, Penthouse Gallery, *Guido Molinari*, 13 September–11 October 1963.

Ottawa, The National Gallery of Canada, *Fifth Biennial Exhibition of Canadian Painting*, 20 September–27 October 1963. Catalogue.

Montreal, Montreal Museum of Fine Arts, The Stable Gallery, *Monochrome Painting*, 9–30 October 1963.

Montreal, École des Beaux-Arts, *Concours Artistiques du Québec 1963*, 21 October–2 November. Also exhibited: Quebec, Musée du Québec, 27 December 1963–2 February 1964.

Toronto, The Art Gallery of Toronto, *Quebec–Ontario, 1963, 17th Annual Exhibition and Sale of Contemporary Canadian Art*, 25 October–11 November 1963. Catalogue.

1964

*New York, East Hampton Gallery, *Molinari*, 25 January–14 February 1964.

REVIEWS: J.[ames] H.B.[eck], "Reviews and Previews: Guido Molinari," *Art News*, vol. 62, no. 9 (January 1964), p. 17. D.[onald J.[udd], "New York Exhibitions: In the Galleries: Guido Molinari," *Arts Magazine*, vol. 38, no. 6 (March 1964), p. 68. Brian O'Doherty, "Art: Rouault Display Heads Openings," *The New York Times*, 1 February 1964.

Toronto, Jerrold Morris International Gallery, *Guido Molinari*, 8–26 February 1964.

REVIEW: Elizabeth Kilbourn, "Vitality and Variety," *Toronto Daily Star*, 8 February 1964.

Montreal, Montreal Museum of Fine Arts, *Seventh Annual Exhibition and Sale of Canadian Art*, 13–24 February 1964. Catalogue.

*Regina, Saskatchewan, Norman Mackenzie Art Gallery, *Molinari*, 11–29 March 1964. Catalogue. Also exhibited: Vancouver, Vancouver Art Gallery, 17 April–17 May 1964.

REVIEWS: Flora Kyle, "Hard Edge Art Rather Shattering," *The Vancouver Sun*, 24 April 1964. Belinda MacLeod, "Molinari tries to exclude hints of human experience," *The Vancouver Province*, 25 April 1964. "Art of Different Stripe Displayed to Lure Public," *The Vancouver Sun*, 22 April 1964.

Montreal, Montreal Museum of Fine Arts, *81st Annual Spring Exhibition*, 7 April–3 May 1964. Catalogue.

New York, Solomon R. Guggenheim Museum, janvier–février–mars 1964, *Guggenheim International Award 1964*. Catalogue.

Québec, Musée du Québec, 7–26 octobre 1964; Montréal, Institut des arts appliqués, 11–30 novembre 1964; *Concours Artistiques du Québec 1964*.

*Montréal, Galerie du Siècle, 19 octobre – 8 novembre 1964, *Molinari*. Catalogue.

CRITIQUES: C.[laude] B.[eaulieu]: *Guido Molinari*, sous «*Exposition*», dans *Vie des Arts*, n° 37 hiver 1964–65, p. 51. Montbizon (Rea): *Exhibition at La Galerie du Siècle*, dans *The Gazette*, Montréal, 24 octobre 1964. j.[acques] f.[olch]: sous «*Expositions*», dans *Vie des Arts*, n° 38, printemps 1965, p. 59.

Winnipeg, Winnipeg Art Gallery, 24 octobre – 7 novembre 1964, *The Ninth Winnipeg Show*. Catalogue.

Montréal, Musée des beaux-arts de Montréal, 6–29 novembre 1964; Sarnia (Ontario), Sarnia Public Library Art Gallery, 8–30 janvier 1965, *85e Exposition Annuelle/Royal Canadian Academy of Arts*.

New York, East Hampton Gallery, 22 décembre 1964 – 9 janvier 1965, *Color Dynamism, Then and Now*.

1965

Montréal, Musée des beaux-arts de Montréal, 13–21 janvier 1965, *Huitième exposition annuelle et vente d'œuvres canadiennes*. Catalogue.

New York, The Museum of Modern Art, 23 février – 25 avril 1965, *The Responsive Eye*. Catalogue.

Kingston (Ontario), Queen's University, Agnes Etherington Art Centre, 7–28 mars 1965, *New Trends in Canadian Painting*. Catalogue.

*New York, East Hampton Gallery, 16 mars – 3 avril 1965, *Molinari*.

CRITIQUES: T.[ed] B.[errigan]: *Guido Molinari*, sous «*Reviews and Previews*», dans *Art News*, t. 64, n° 1, mars 1965, p. 16. A.[nne] H.[orne]: *Guido Molinari*, sous «*In the Galleries*», dans *Arts Magazine*, t. 39, n° 39, mai–juin 1965, p. 60.

Montréal, Galerie du Siècle, 3[?]–10 avril 1965, *Nouvelles directions*.

Montréal, Musée des beaux-arts de Montréal, 9 avril – 9 mai 1965, *82e Salon annuel du printemps*. Catalogue.

New York, Solomon R. Guggenheim Museum, *Guggenheim International Award 1964*, January–February–March, 1964. Catalogue.

Quebec, Musée du Québec, *Concours Artistiques du Québec 1964*. 7–26 October 1964. Also exhibited: Montreal, Institut des arts appliqués, 11–30 November 1964.

*Montreal, Galerie du Siècle, *Molinari*, 19 October–8 November 1964. Catalogue.

REVIEWS: C.[laude] B.[eaulieu], "Exposition: Guido Molinari," *Vie des Arts*, no. 37 (Winter 1964–65), p. 51. Rea Montbizon, "Exhibition at La Galerie du Siècle," *The Gazette* (Montreal), 24 October 1964. j.[acques] f.[olch], "Expositions," *Vie des Arts*, no. 38 (Spring 1965), p. 59.

Winnipeg, Winnipeg Art Gallery, *The Ninth Winnipeg Show*, 24 October–7 November 1964. Catalogue.

Montreal, Montreal Museum of Fine Arts, *85th Annual Exhibition Royal Canadian Academy of Arts*, 6–29 November 1964. Also exhibited: Sarnia, Ontario, Sarnia Public Library and Art Gallery, 8–30 January 1965. Catalogue.

New York, East Hampton Gallery, *Color Dynamism, Then and Now*, 22 December 1964–9 January 1965.

1965

Montreal, Montreal Museum of Fine Arts, *Eighth Annual Exhibition and Sale of Canadian Art*, 13–21 January 1965. Catalogue.

New York, The Museum of Modern Art, *The Responsive Eye*, 23 February–25 April 1965. Catalogue.

Kingston, Ontario, Queen's University, Agnes Etherington Art Centre, *New Trends in Canadian Painting*, 7–28 March 1965. Catalogue.

*New York, East Hampton Gallery, *Molinari*, 16 March–3 April 1965.

REVIEWS: T.[ed] B.[errigan], "Reviews and previews: Guido Molinari," *Art News*, vol. 64, no. 1 (March 1965), p. 16. A.[nne] H.[orne], "In the Galleries: Guido Molinari," *Arts Magazine*, vol. 39, no. 9 (May–June 1965), p. 60.

Montreal, Galerie du Siècle, *Nouvelles directions*, 3[?]–10 April 1965.

Montreal, Montreal Museum of Fine Arts, *82nd Annual Spring Exhibition*, 9 April–9 May 1965. Catalogue.

Burlington (Vermont), Fleming Museum, University of Vermont, 10 avril – 10 mai 1965, *OP from Montreal*. Catalogue.

Austin (Texas), The University of Texas, Art Museum, 11 avril – 9 mai 1965, *An Exhibition of Retinal and Perceptual Art*. Catalogue.

Montréal, Galerie du Siècle, 17–29 mai 1965, «*Collages*», *Molinari, Tousignant, Hurtubise*.
CRITIQUES: Jasmin (Claude): *Toccate et Fugues de Molinari, Hurtubise et Tousignant sur des airs connus*, dans *La Presse*, Montréal, 29 mai 1965. Lamy (Laurent): *Molinari, Tousignant, Hurtubise à la Galerie du Siècle*. dans *Le Devoir*, Montréal, 22 mai 1965, p. 13.

New York, Solomon R. Guggenheim Museum, juin 1965, *Some Recent Gifts*.

Fort Worth (Texas), Art Center, juin–juillet 1965, *The Deceived Eye*. Catalogue.

Ottawa, Galerie nationale du Canada, 4 juin – 22 août 1965, *Sixième Exposition biennale de la peinture canadienne*. Catalogue.

Montréal, Galerie du Siècle, 5 juin – 3 juillet [?] 1965, *Dynamisme 65*.

Montréal, Musée d'Art Contemporain, 12 juillet – 22 août 1965, *Artistes de Montréal*. Catalogue.

Ottawa, Galerie nationale du Canada, 1965–1966, *Artistes de Montréal* (exposition itinérante choisie à partir de celle du même titre organisée par le Musée d'Art Contemporain de Montréal).

Montréal, Musée d'Art Contemporain, 28 septembre – 17 octobre 1965, *Concours Artistiques du Québec*.
CRITIQUE: Ayre (Robert): *Quebec's Concours Artistiques, 1965*, dans *The Montreal Star*, Montréal, 2 octobre 1965.

1966

*New York, East Hampton Gallery, 18 janvier – 5 février 1966, *Rhythmic Mutation Molinari Mutation Rythmique*.
CRITIQUES: W.[illiam] B.[erkson]: *Guido Molinari*, sous «*In the Galleries*», dans *Arts Magazine*, t. 40, n° 4, février 1966, p. 62. Fournier (Guy): *A l'étranger, Galerie East Hampton*, sous «*Expositions*», dans *Vie des Arts*, n° 42, printemps 1966, p. 61. J.[ill] J.[ohnston]: *Guido Molinari*, sous «*Reviews and Previews*», dans *Art News*, t. 64, n° 9, janvier 1966, p. 14.

Burlington, Vermont, Fleming Museum, University of Vermont, *OP from Montreal*, 10 April–10 May 1965. Catalogue.

Austin, Texas, The University of Texas, Art Museum, *An Exhibition of Retinal and Perceptual Art*, 11 April–9 May 1965. Catalogue.

Montreal, Galerie du Siècle, *"Collages": Molinari, Tousignant, Hurtubise*, 17–29 May 1965.
REVIEWS: Claude Jasmin, "Toccate et Fugues de Molinari, Hurtubise et Tousignant sur des airs connus," *La Presse* (Montreal), 29 May 1965. Laurent Lamy, "Molinari, Tousignant, Hurtubise à la Galerie du Siècle," *Le Devoir* (Montreal), 22 May 1965, p. 13.

New York, Solomon R. Guggenheim Museum, *Some Recent Gifts*, June 1965.

Fort Worth, Texas, Art Center, *The Deceived Eye*, June–July 1965. Catalogue.

Ottawa, The National Gallery of Canada, *Sixth Biennial Exhibition of Canadian Painting*, 4 June–22 August 1965. Catalogue.

Montreal, Galerie du Siècle, *Dynamisme 65*, 5 June–3 July [?] 1965.

Montreal, Musée d'Art Contemporain, *Artistes de Montréal*, 12 July–22 August 1965. Catalogue.

Ottawa, The National Gallery of Canada, *Artistes de Montréal*, 1965–1966. A travelling exhibition based on the exhibition of the same name organized by the Musée d'Art Contemporain, Montreal.

Montreal, Musée d'Art Contemporain, *Concours Artistiques du Québec*, 28 September–17 October 1965.
REVIEW: Robert Ayre, "Quebec's Concours Artistiques, 1965," *The Montreal Star*, 2 October 1965.

1966

*New York, East Hampton Gallery, *Rhythmic Mutation Molinari Mutation Rythmique*, 18 January–5 February 1966.
REVIEWS: W.[illiam] B.[erkson], "In the Galleries: Guido Molinari," *Arts Magazine*, vol. 40, no. 4 (February 1966), p. 62. Guy Fournier, "Expositions: A l'étranger, Galerie East Hampton," *Vie des Arts*, no. 42 (Spring 1966), p. 61. J.[ill] J.[ohnston], "Reviews and Previews: Guido Molinari," *Art News*, vol. 64, no. 9 (January 1966), p. 14.

*Montréal, Galerie du Siècle, 14 – 28 mars 1966, *Mutation Cinématique, Molinari/œuvres récentes/recent work.*

CRITIQUE: Montbizon (Rea): *The Stripes Have Narrowed*, dans *The Gazette*, Montréal, 26 mars 1966.

New York, The Museum of Modern Art, 6 avril – 12 juin 1966, *Recent Acquisitions: Paintings and Sculpture.*

Québec, Musée du Québec, 4–23 mai 1966 et 28 septembre – 17 octobre 1966; Montréal, Musée d'Art Contemporain, 8–22 septembre 1966, *Concours artistiques du Québec.*

CRITIQUE: Robillard (Yves): *Au Contemporain, les élus des Concours artistiques du Québec*, dans *La Presse*, Montréal, 17 septembre 1966.

*Edmonton, Edmonton Art Gallery, 6–31 mai 1966, *Guido Molinari.* Catalogue.

New York, East Hampton Gallery, 16–31 mai 1966, *Multiples in Op.*

Charlottetown (Î.-P.-É.), Centre de la Confédération, 5 juillet – 31 août 1966, *The Academy in Retrospect.* Catalogue.

Southampton (New York), Southampton College, Long Island University, 21 septembre – 2 novembre 1966, *Colour Motion Art.*

Toronto, Art Gallery of Ontario, 28 octobre – 27 novembre 1966; Ottawa, Galerie nationale du Canada, 15 décembre 1966 – 8 janvier 1967; Sarnia, Public Library and Art Gallery, 14 janvier – 4 février 1967, *Eighty-Seventh Annual Exhibition, Royal Canadian Academy of Arts.* Catalogue.

Winnipeg, Winnipeg Art Gallery, 5–30 novembre 1966, *The Tenth Winnipeg Show.* Catalogue.

New York, The American Federation of Arts, 1966–1967, *Op Art and its Ancestors* (exposition itinérante). Catalogue.

New York, The Museum of Modern Art, 1966–1967, *Optical Art* (exposition itinérante).

1967

Kitchener, Kitchener-Waterloo Art Gallery, 4–26 février 1967 (et neuf autres endroits en Ontario jusqu'au 31 décembre 1967), *Centennial Exhibition of Quebec and Ontario Contemporary Painters.* Catalogue.

*Montreal, Galerie du Siècle, *Mutation Cinématique, Molinari/œuvres récentes/recent work*, 14–28 March 1966.

REVIEW: Rea Montbizon, "The Stripes Have Narrowed," *The Gazette* (Montreal), 26 March 1966.

New York, The Museum of Modern Art, *Recent Acquisitions: Paintings and Sculpture*, 6 April–12 June 1966.

Quebec, Musée du Québec, *Concours Artistiques du Québec*, 4–23 May 1966 and 28 September–17 October 1966. Also exhibited: Montreal, Musée d'Art Contemporain, 8–22 September 1966.

REVIEW: Yves Robillard, "Au Contemporain, les élus des Concours artistiques du Québec," *La Presse*, (Montreal), 17 September 1966.

*Edmonton, Edmonton Art Gallery, *Guido Molinari*, 6–31 May 1966. Catalogue.

New York, East Hampton Gallery, *Multiples in Op*, 16–31 May 1966.

Charlottetown, Prince Edward Island, The Confederation Art Gallery and Museum, *The Academy in Retrospect*, 5 July–31 August 1966. Catalogue.

Southampton, New York, Long Island University, Southampton College, *Colour Motion Art*, 21 September–2 November 1966.

Toronto, Art Gallery of Ontario, *Eighty-Seventh Annual Exhibition Royal Canadian Academy of Arts*, 28 October–27 November 1966. Catalogue. Also exhibited: Ottawa, The National Gallery of Canada, 15 December–8 January 1967; Sarnia, Sarnia Public Library and Art Gallery, 14 January–4 February 1967.

Winnipeg, Winnipeg Art Gallery, *The Tenth Winnipeg Show*, 5–30 November 1966. Catalogue.

New York, The American Federation of Arts, *Op Art and Its Ancestors*, 1966–1967. A travelling exhibition. Catalogue.

New York, The Museum of Modern Art, *Optical Art*, 1966–1967. A travelling exhibition. Catalogue.

1967

Kitchener, Kitchener-Waterloo Art Gallery, *Centennial Exhibition of Quebec and Ontario Contemporary Painters*, 4–26 February 1967. Also exhibited: nine other towns in Ontario until 31 December 1967. Catalogue.

Québec, Musée du Québec, 22 février – 27 mars 1967, *Vingt-Cinq Ans de Libération de l'Œil et du Geste*. Catalogue.

Montréal, Musée des beaux-arts de Montréal, 30 mars – 30 avril 1967, *Lauréats 1908–1965, Salons de Printemps*. Catalogue.

Amherst (Mass.), University of Massachusetts, 13 mars – 1er avril 1967, *Emphasis Optics*. Catalogue.

Montréal, Musée d'Art Contemporain, 26 mai – 20 août 1967, *Panorama de la Peinture au Québec 1940–1966*.

CRITIQUES: Ayre (Robert): *Panorama of 20th century Quebec painting at Musée*, dans *The Montreal Star*, Montréal, 5 août 1967. Robillard (Yves): *Toute l'histoire de la peinture québécoise en une rétrospective passionnante*, dans *La Presse*, Montréal, 27 mai 1967. Robillard (Yves): «*Panorama 2*» *beaucoup à voir peu à comprendre*, dans *La Presse*, Montréal, 22 juillet 1967.

Boston (Mass.), Institute of Contemporary Art, 19 mai – 21 juin 1967, *Nine Canadians*. Catalogue.

Ottawa, Galerie nationale du Canada, 12 mai – 17 septembre 1967, *Trois cents ans d'art canadien*. Catalogue.

Montréal, Expo 67, Le Pavillon du Canada, été 1967, *la peinture au canada*. Catalogue.

New York, East Hampton Gallery, 23 mai – 10 juin 1967, *Minimal Paintings of 1956*.

CRITIQUES: R.[osalind] B.[rowne]: *Guido Molinari*, sous «*Reviews and Previews*», dans *Art News*, to 66, n° 3, mai 1967, p. 16. A.[ndrew] R.[eiss]: *Guido Molinari*, sous «*In the Galleries*», dans *Arts Magazine*, t. 41, n° 8, été 1967, p. 57. Robert (Guy): *La dialectique de Molinari*, sous «*Vie des Arts, à New York*», dans *Vie des Arts*, n° 48, automne 1967, p. 63.

New York, Solomon R. Guggenheim Museum, été 1967, *Museum Collection, Seven Decades, A Selection*. Catalogue.

Toronto, Art Gallery of Ontario, 8 juillet – 10 septembre 1967, *Perspective 67*. Catalogue.

Toronto, Hôtel de Ville, juillet 1967, *Sculpture '67* (exposition organisée par la Galerie nationale du Canada). Catalogue.

CRITIQUE: Fulford (Robert): *Sculpture '67*, dans *Artscanada*, t. XXIV, livraison n° 111/112, août/septembre 1967, suppl.

Toronto, Dunkelman Gallery, 6–30 septembre 1967, *Art Montreal '67*. Catalogue.

Quebec, Musée du Québec, *Vingt-Cinq Ans de Libération de l'Œil et du Geste*, 22 February–27 March 1967. Catalogue.

Montreal, Montreal Museum of Fine Arts, *Laureates 1908–1965, Annual Spring Exhibition*, 30 March–30 April 1967. Catalogue.

Amherst, Massachusetts, University of Massachusetts, *Emphasis Optics*, 13 March–1 April 1967. Catalogue.

Montreal, Musée d'Art Contemporain, *Panorama de la Peinture au Québec 1940–1966*, 26 May–20 August 1967.

REVIEWS: Robert Ayre, "Panorama of 20th century Quebec painting at Musée," *The Montreal Star*, 5 August 1967. Yves Robillard, "Toute l'histoire de la peinture québécoise en une rétrospective passionnante," *La Presse* (Montreal), 27 May 1967. Yves Robillard, " 'Panorma 2' beaucoup à voir peu à comprendre," *La Presse* (Montreal), 22 July 1967.

Boston, Massachusetts, Institute of Contemporary Art, *Nine Canadians*, 19 May–21 June 1967. Catalogue.

Ottawa, The National Gallery of Canada, *Three Hundred Years of Canadian Art*, 12 May–17 September 1967. Catalogue.

Montreal, Expo '67, Canadian Pavillion, *Painting in Canada*, Summer 1967. Catalogue.

New York, East Hampton Gallery, *Minimal Paintings of 1956*, 23 May–10 June 1967.

REVIEWS: R.[osalind] B.[rowne], "Reviews and previews: Guido Molinari," *Art News*, vol, 66, no. 3 (May 1967), p. 16. A.[ndrew] R.[eiss], "In the Galleries: Guido Molinari," *Arts Magazine*, vol. 41, no. 8 (Summer 1967), p. 57. Guy Robert, "Vie des Arts, à New York: La dialectique de Molinari," *Vie des Arts*, no. 48 (Autumn 1967), p. 63.

New York, Solomon R. Guggenheim Museum, *Museum Collection, Seven Decades, A Selection*, summer 1967. Catalogue.

Toronto, Art Gallery of Ontario, *Perspective 67*, 8 July–10 September 1967. Catalogue.

Toronto, Toronto City Hall, *Sculpture '67*, July 1967. Exhibition organized by the National Gallery of Canada, Ottawa. Catalogue.

REVIEW: Robert Fulford, "Sculpture '67," *artscanada*, vol. XXIV, issue no. 111/112 (August/September 1967), supp.

Toronto, Dunkelman Gallery, *Art Montreal '67*, 6–30 September 1967. Catalogue.

Toronto, Art Gallery of Ontario, 22 septembre – 15 octobre 1967, *L'exposition d'art de l'Ontario à l'occasion du centenaire*; Montréal, Musée d'Art Contemporain, 5 novembre – 15 décembre 1968; Québec, Musée du Québec, 9 avril – 2 mai 1969 (sous le titre *Québec-Ontario*). Catalogue.

Montréal, Galerie du Siècle, 7 novembre – 5 décembre 1967, *Espace Dynamique 1956–1967.*

Montréal, Musée d'Art Contemporain, 8 novembre – 10 décembre 1967, Québec, Musée du Québec, 17 janvier – 5 février 1968, *Concours Artistiques du Québec.*

CRITIQUE: Huguet (Marcel): *Au Musée d'art contemporain, La sculpture de Molinari domine l'exposition*, dans *Photo-Journal*, Montréal, 15 novembre 1967.

*London (Ontario), 20/20 Gallery, 14 novembre – 3 décembre 1967, *Guido Molinari.*

CRITIQUE: Crawford (Lenore): *New means to help artists urged*, dans le *London Free Press*, London (Ontario), 18 novembre 1967.

Regina (Sask.), Norman Mackenzie Art Gallery, 16 novembre – 17 décembre 1967, *Statements 18 Canadian Artists.* Catalogue.

1968

Paris, Musée National d'Art Moderne, 12 janvier – 18 février 1968, *Canada art d'aujourd'hui.* Catalogue. (Présentée ensuite à Rome, Lausanne, Bruxelles.)

CRITIQUE: Teyssèdre (Bernard): *Canada, art d'aujourd'hui, Musée d'Art Moderne de Paris*, dans *Vie des Arts*, nº 50, printemps 1968, p. 26–31.

Cambridge (Mass.), Hayden Gallery, Massachusetts Institute of Technology, 24 janvier – 18 février 1968; Washington, D.C., Gallery of Modern Art, 10 avril – 5 mai 1968; *Seven Montreal Artists.* Catalogue.

CRITIQUE: Richard (Paul): *«Seven Montreal Artists» Is a Rewarding Exhibition*, dans *The Washington Post*, Washington, D.C., 21 avril 1968.

Montréal, Musée d'Art Contemporain, 20 mars – 14 avril 1968; Québec, Musée du Québec, 18 avril – 12 mai 1968; *10 Peintres du Québec.* Catalogue.

CRITIQUES: Bilodeau (Jean-Noël): *Dix peintres du Québec*, dans *Le Soleil*, Québec, 27 avril 1968. Heywood (Irene): *A Good Move for Contemporain*, dans *The Gazette*, Montréal, 30 mars 1968.

Toronto, Art Gallery of Ontario, *Exhibition of Ontario Art on the Occasion of the Centennial*, 22 September–15 October 1967. Also exhibited: Montreal, Musée d'Art Contemporain, 5 November–15 December 1968; Quebec, Musée du Québec, 9 April–2 May 1969 (under the title *Québec–Ontario*). Catalogue.

Montreal, Galerie du Siècle, *Espace Dynamique 1956–1967*, 7 November–5 December 1967.

Montreal, Musée d'Art Contemporain, *Concours Artistiques du Québec*, 8 November–10 December 1967. Also exhibited: Quebec, Musée du Québec, 17 January–5 February 1968.

REVIEW: Marcel Huguet, "Au Musée d'art contemporain, La sculpture de Molinari domine l'exposition," *Photo-Journal* (Montreal), 15 November 1967.

*London, Ontario, 20/20 Gallery, *Guido Molinari*, 14 November–3 December 1967.

REVIEW: Lenore Crawford, "New means to help artists urged," *London Free Press*, 18 November 1967.

Regina, Saskatchewan, Norman Mackenzie Art Gallery, *Statements 18 Canadian Artists*, 16 November–17 December 1967. Catalogue.

1968

Paris, Musée National d'Art Moderne, *Canada art d'aujourd'hui*, 12 January–18 February 1968. Also exhibited: Rome, Lausanne, and Brussels. Catalogue.

REVIEW: Bernard Teyssèdre, "Canada, art d'aujourd'hui, Musée d'Art Moderne de Paris," *Vie des Arts*, no. 50 (Spring 1968), pp. 26–31.

Cambridge, Massachusetts, Massachusetts Institute of Technology, Hayden Gallery, *Seven Montreal Artists*, 24 January–18 February 1968. Also exhibited: Washington D.C., Gallery of Modern Art, 10 April–5 May 1968. Catalogue.

REVIEW: Paul Richard, " 'Seven Montreal Artists' is a Rewarding Exhibition," *The Washington Post*, 21 April 1968.

Montreal, Musée d'Art Contemporain, *10 Peintres du Québec*, 20 March–14 April 1968. Also exhibited: Quebec, Musée du Québec, 18 April–12 May 1968. Catalogue.

REVIEWS: Jean-Noël Bilodeau, "Dix peintres du Québec," *Le Soleil* (Quebec), 27 April 1968. Irene Haywood, "A Good Move for Contemporain," *The Gazette* (Montreal), 30 March 1968.

*Montréal, Galerie du Siècle, 7 mai – 7 juin 1968, *Guido Molinari.*
CRITIQUE: R.[obillard] Y.[ves]: *Molinari: encore et toujours des bandes*, dans *La Presse*, Montréal, 18 mai 1968.

Stratford (Ontario), Rothmans Art Gallery, 11 juin – 30 août 1968; Montréal, Musée des beaux-arts de Montréal, 8 septembre – 8 octobre 1968; *Le musée dans l'usine.* Catalogue.

Venise (Italie), XXXIVe Exposition biennale internationale d'art, 22 juin – 20 octobre 1968, *Canada: Ulysse Comtois, Guido Molinari.* Catalogue.
CRITIQUE: Teyssèdre (Bernard): *Deux artistes canadiens à la Biennale: Ulysse Comtois et Guido Molinari*, dans *Art international*, t. XII, n° 6, été 1968, p. 68–70.

Ottawa, Galerie nationale du Canada, 4 juillet – 1er septembre 1968, *Septième Biennale de la peinture canadienne.* Catalogue.

Édimbourg (Écosse), College of Art, Edinburgh International Festival, 18 août – 7 septembre 1968, *Canada 101* (exposition organisée par le Conseil des Arts du Canada). Catalogue.

Winnipeg, Winnipeg Art Gallery, 30 octobre – 24 novembre 1968, *The eleventh winnipeg show.* Catalogue.

Québec, Musée du Québec, 22 novembre – 12 décembre 1968; Montréal, Musée d'Art Contemporain, 19 février–16 mars 1969, *Concours Artistiques du Québec 1968.*
CRITIQUE: Walsh (Irene): *Artists, Politicians Clash*, dans *Winnipeg Free Press*, Winnipeg, 4 avril 1969.

Toronto, Art Gallery of Ontario, 30 novembre – 29 décembre 1968, *Canadian Artists 68.* Catalogue.

Ottawa, Galerie nationale du Canada, 1968–1969, *Hart House Collects: Recent Acquisitions/La collection Hart House: Acquisitions récentes* (exposition itinérante). Catalogue.

1969

New York, East Hampton Gallery, 7–27 janvier 1969, «*1965, The Op Art Revolution*».

*Toronto, Carmen Lamanna Gallery, 13 mars – 1er avril 1969, *Molinari.*
CRITIQUE: Kritzwizer (Kay): *The salad days of Molinari and Hurtubise*, dans *The Globe and Mail*, Toronto, 22 mars 1969.

*Montreal, Galerie du Siècle, *Guido Molinari*, 7 May–7 June 1968.
REVIEW: Y.[ves] R.[obillard], "Molinari: encore et toujours des bandes," *La Presse* (Montreal), 18 May 1968.

Stratford, Ontario, Rothmans Art Gallery, *Le musée dans l'usine*, 11 June–30 August 1968. Also exhibited: Montreal, Montreal Museum of Fine Arts, 8 September–8 October 1968. Catalogue.

Venice (Italy), XXXIV International Biennial Exhibition of Art, *Canada: Ulysse Comtois, Guido Molinari*, 22 June–20 October 1968. Catalogue.
REVIEW: Bernard Teyssèdre, "Deux Artistes Canadiens à la Biennale: Ulysse Comtois et Guido Molinari," *Art international*, vol. XII, no. 6 (Summer 1968), pp. 68–70.

Ottawa, The National Gallery of Canada, *Seventh Biennial of Canadian Painting*, 4 July–1 September 1968. Catalogue.

Edinburgh (Scotland), College of Art, Edinburgh International Festival, *Canada 101*, 18 August–7 September 1968. Exhibition organized by the Canada Council. Catalogue.

Winnipeg, Winnipeg Art Gallery, *The eleventh Winnipeg show*, 30 October–24 November 1968. Catalogue.

Quebec, Musée du Québec, *Concours Artistiques du Québec 1968*, 22 November–12 December 1968. Also exhibited: Montreal, Musée d'Art Contemporain, 19 February–16 March 1969.
REVIEW: Irene Walsh, "Artists, Politicians Clash," *Winnipeg Free Press*, 4 April 1969.

Toronto, Art Gallery of Ontario, *Canadian Artists 68*, 30 November–29 December 1968. Catalogue.

Ottawa, The National Gallery of Canada, *Hart House Collects: Recent Acquisitions/La collection Hart House, Acquisitions récentes*, 1968–1969. A travelling exhibition. Catalogue.

1969

New York, East Hampton Gallery, "*1965, The Op Art Revolution*," 7–27 January 1969.

*Toronto, Carmen Lamanna Gallery, *Molinari*, 13 March–1 April 1969.
REVIEW: Kay Kritzwizer, "The salad days of Molinari and Hurtubise," *The Globe and Mail* (Toronto), 22 March 1969.

*Montréal, Galerie Sherbrooke, 20 mars – 9 avril 1969, *Guido Molinari.*

CRITIQUES: (Anonyme): *Superior Stripes*, sous «*The Arts*», dans *Time* (Canada), 21 mars 1969. Ballantyne (Michael): *Barbeau, Molinari exhibitions – more here than meets the eye*, dans *The Montreal Star*, Montréal, 29 mars 1969. Heywood (Irene): *Color seen as light/Molinari exhibition goes back 15 years*, dans *The Gazette*, Montréal, 29 mars 1969. Thériault (Normand): *Molinari: des encres ... aux bandes élargies*, dans *La Presse*, Montréal, 29 mars 1969.

Toronto, Carmen Lamanna Gallery, 17 juillet – 17 août 1969 (exposition de groupe).

Toronto, Carmen Lamanna Gallery, 21 août – 16 septembre 1969 (exposition de groupe).

Hamilton, Ontario, Hamilton Art Gallery, 2–26 octobre 1969, *Twentieth Annual Exhibition of Contemporary Canadian Art.* Catalogue.

*Québec, Galerie Jolliet, 19 novembre – 6 décembre 1969, *Molinari.*

CRITIQUE: Daigneault (Claude): *Guido Molinari et le jeu de la participation*, dans *Le Soleil*, Québec, 22 novembre 1969.

Toronto, Carmen Lamanna Gallery, 11–27 décembre 1969, *Canadian Electric Company.*

Toronto, Carmen Lamanna Gallery, 30 décembre 1969 – 20 janvier 1970, *North American Vibrations.*

CRITIQUES: Kritzwizer (Kay): sous «*In the Galleries*», dans *The Globe and Mail*, Toronto, 10 janvier 1970. Lord (Barry): *Canada didn't lose this one anyway*, dans *The Toronto Star*, Toronto, 2 janvier 1970.

Ottawa, Galerie nationale du Canada, 1969–1970, *La collection du Conseil des Arts du Canada* (exposition itinérante). Catalogue.

1970

Toronto, York University, Winters College, 26 janvier – 20 février 1970, *N. E. Thing Co., Molinari, Zelenak, Marden, Bolduc, White, Diao, Saxe, Noël, Shields, Benglis, Ristvedt, Beveridge, D. Rabinowitch.*

Montréal, Musée d'Art Contemporain, 22 janvier – 15 février 1970, *Grand Formats, Treize artistes de Montréal.* Catalogue.

CRITIQUES: Allègre (Christian): *15 artistes de Montréal au Musée d'Art Contemporain*, dans *Sept-Jours*, Montréal, 7 février 1970, p. 28. Bardo (Arthur): *Musée d'art contemporain, local artists exhibit large format paintings*, dans *The Montreal Star*,

*Montreal, Galerie Sherbrooke, *Guido Molinari*, 20 March–9 April 1969.

REVIEWS: "The Arts: Superior Stripes," *Time* (Canada), 21 March 1969. Michael Ballantyne, "Barbeau, Molinari exhibitions – more here than meets the eye," *The Montreal Star*, 29 March 1969. Irene Heywood, "Color seen as light/Molinari exhibition goes back 15 years," *The Gazette* (Montreal), 29 March 1969. Normand Thériault, "Molinari des encres . . . aux bandes élargies," *La Presse* (Montreal), 29 March 1969.

Toronto, Carmen Lamanna Gallery (group exhibition), 17 July–17 August 1969.

Toronto, Carmen Lamanna Gallery (group exhibition), 21 August–16 September 1969.

Hamilton, Ontario, The Art Gallery of Hamilton, *Twentieth Annual Exhibition of Contemporary Canadian Art*, 2–26 October 1969. Catalogue.

*Quebec, Galerie Jolliet, *Molinari*, 19 November–6 December 1969.

REVIEW: Claude Daigneault, "Guido Molinari et le jeu de la participation," *Le Soleil* (Quebec), 22 November 1969.

Toronto, Carmen Lamanna Gallery, *Canadian Electric Company*, 11–27 December 1969.

Toronto, Carmen Lamanna Gallery, *North American Vibrations*, 30 December 1969–20 January 1970.

REVIEWS: Kay Kritzwizer, "In the Galleries," *The Globe and Mail* (Toronto), 10 January 1970. Barry Lord, "Canada didn't lose this one anyway," *The Toronto Star*, 2 January 1970.

Ottawa, The National Gallery of Canada, *The Collection of the Canada Council*, 1969–1970. A travelling exhibition. Catalogue.

1970

Toronto, York University, Winters College, *N.E. Thing Co., Molinari, Zelenak, Marden, Bolduc, White, Diao, Saxe, Noël, Shields, Benglis, Ristvedt, Beveridge, D. Rabinowitch*, 26 January–20 February 1970.

Montreal, Musée d'Art Contemporain, *Grand Formats, Treize artistes de Montréal*, 22 January–15 February 1970. Catalogue.

REVIEWS: Christian Allègre, "15 artistes de Montréal au Musée d'Art Contemporain," *Sept-Jours* (Montreal), 7 February 1970, p. 28. Arthur Bardo, "Musée d'art contemporain, local artists

Montréal, 5 février 1970. Heywood (Irene): *Paintings, like life, grow larger*, dans *The Gazette*, Montréal, 7 mars 1970. Thériault (Normand): *Le tableau mur à mur*, dans *La Presse*, Montréal, 21 janvier 1970.

Ottawa, Galerie nationale du Canada, 30 janvier – 28 février 1970, *Quatre-vingt-dixième exposition annuelle / Académie royale des arts du Canada*. Catalogue.

*Vancouver, Bau-Xi Gallery, 16–28 février 1970, *Guido Molinari.*

Montréal, The Saidye Bronfman Centre of the YMYWHA, 15 mars – 6 avril 1970, *Molinari Stripes Leroy/Leroy Warps Molinari.*
CRITIQUES: Bardo (Arthur): *The impossible dream*, dans *The Montreal Star*, Montréal, 21 mars 1970. Heywood (Irene): *Molinari and Leroy envelop centre*, dans *The Gazette*, Montréal, 28 mars 1970. Thériault (Normand): *Deux œuvres majeures*, dans *La Presse*, Montréal, 28 mars 1970.

Medellin (Colombie), 1er mai – 20 juin 1970, *II Bienal de Arte Coltejer*. Catalogue.

Stratford (Ontario), Rothmans Art Gallery, 9 juin – 31 août 1970, *Canadians Crossections '70*. Catalogue.

Scarborough (Ontario), Scarborough College, 11 juin – 31 août 1970, *A Summer Art Exhibition.*

Montréal, Terre des Hommes, Palais des Arts, 12 juin – 7 septembre 1970, *Peinture québécoise 1948 – 1970*. Catalogue.
CRITIQUES: (Anonyme) [Allègre, Christian ?]: *Les peintres canadiens à Terre des Hommes*, dans *Le Devoir*, Montréal, 11 juillet 1970. Denman (Wendy): *Canadian artists sock it to 'ya'*, dans *The Gazette*, Montréal, 20 juin 1970. Dumas (Paul): *La peinture au Québec de 1948 à 1970*, dans *L'Information Médicale et Paramédicale*, Montréal, 18 août 1970, p. 54–55. Thériault (Normand): *La peinture québécoise revécue à Terre des Hommes*, dans *La Presse*, Montréal, 13 juin 1970.

Toronto, Carmen Lamanna Gallery, 18 juin – 24 juillet 1970 (exposition de groupe).

Montréal, Musée d'Art Contemporain, 23 juin – 6 septembre 1970, *Panorama de la sculpture québécoise 1945 – 1970.*
CRITIQUES: Dumas (Paul): *La sculpture contemporaine du Québec*, dans *L'Information Médicale et Paramédicale*, Montréal, 21 juillet 1970, p. 24 – 26. Thériault (Normand): *La sculpture québécoise: un silence et quelques cris*, dans *La Presse*, Montréal, 27 juin 1970.

exhibit large format paintings." *The Montreal Star*, 5 February 1970. Irene Heywood, "Paintings, like life, grow larger," *The Gazette* (Montreal), 7 March 1970. Normand Thériault, "Le tableau mur à mur," *La Presse* (Montreal), 21 January 1970.

Ottawa, The National Gallery of Canada, *Ninetieth Annual Exhibition The Royal Canadian Academy of Arts*, 30 January–18 February 1970. Catalogue.

*Vancouver, Bau-Xi Gallery, *Guido Molinari*, 16–28 February 1970.

Montreal, The Saidye Bronfman Center of the YMYWHA, *Molinari Stripes Leroy/Leroy Warps Molinari*, 15 March–6 April 1970.
REVIEWS: Arthur Bardo, "The impossible dream," *The Montreal Star*, 21 March 1970. Irene Heywood, "Molinari and Leroy envelop centre," *The Gazette* (Montreal), 28 March 1970. Normand Thériault, "Deux œuvres majeures," *La Presse* (Montreal), 28 March 1970.

Medellin (Colombia), *II Bienal de Arte Coltejer*, 1 May–20 June 1970. Catalogue.

Stratford, Ontario, Rothmans Art Gallery, *Canadians Crossections '70*, 9 June–31 August 1970. Catalogue.

Scarborough, Ontario, Scarborough College, *A Summer Art Exhibition*, 11 June–31 August 1970.

Montreal, Man and His World, Palais des Arts, *Peinture québécoise 1948-1970*, 12 June–7 September 1970. Catalogue.
REVIEWS: [Christian Allègre?], "Les peintres canadiens à Terre des Hommes," *Le Devoir* (Montreal) 11 July 1970. Wendy Denman, "Canadian artists sock it to 'ya,'" *The Gazette* (Montreal), 20 June 1970. Paul Dumas, "La peinture au Québec de 1948 à 1970," *L'Information Médicale et Paramédicale* (Montreal), 18 August 1970, pp. 54–55. Normand Thériault, "La peinture québécoise revécue à Terre des Hommes," *La Presse* (Montreal), 13 June 1970.

Toronto, Carmen Lamanna Gallery (group exhibition), 18 June–24 July 1970.

Montreal, Musée d'Art Contemporain, *Panorama de la sculpture québécoise 1945–1970*, 23 June–6 September 1970.
REVIEWS: Paul Dumas, "La sculpture contemporaine du Québec," *L'Information Médicale et Paramédicale* (Montreal), 21 July 1970, pp. 24–26. Normand Thériault, "La sculpture québécoise: un silence et quelques cris," *La Presse* (Montreal), 27 June 1970.

Lausanne (Suisse), Musée Cantonal des beaux-arts, Palais de Rumine, 21 juin – 4 octobre 1970; Paris, Musée d'Art Moderne de la Ville de Paris, A.R.C., 28 octobre – 6 décembre 1970; *3e Salon international de Galeries pilotes, Artistes et découvreurs de notre temps.* Catalogue.
CRITIQUES: Cameron (Dorothy): *Lausanne and Venice, Summer '70: the Crisis of Canada International Part 1: Lausanne*, dans *Artscanada*, t. XXVII, nº 5, livraison nº 148/149, octobre/novembre 1970, p. 68–71. Lord (Barry): *Canada: Lamanna at Lausanne*, dans *Art and Artists*, t. 5, nº 7, octobre 1970, p. 70.

Lausanne (Suisse), Musée des arts décoratifs, 21 juin – 4 octobre 1970; Grenoble (France), Maison de la culture, 13 février – 18 avril 1971, *Reflets de Galeries pilotes.*

Toronto, Carmen Lamanna Gallery, 21 juillet – 18 août 1970 (exposition de groupe).

Montréal, Musée d'Art Contemporain, 16 septembre – 25 octobre 1970; Québec, Musée du Québec, 4–29 novembre 1970; *Concours Artistiques du Québec '70.*
CRITIQUES: Howarth (Glenn): *The old school has few new boys*, dans *The Montréal Star*, Montréal, 26 septembre 1970. Lord (Barry): *the Concours artistiques du Québec 1970*, dans *Artscanada*, t. XXVII, nº 6, livraison nº 150/151, décembre 1970/janvier 1971, p. 61–63.

Tel-Aviv, Musée de Tel-Aviv, Pavillon Helena Rubinstein, 12 novembre – 12 décembre 1970, *Huit artistes du Canada.* Catalogue.

*Toronto, Carmen Lamanna Gallery, 21 novembre – 10 décembre 1970, *Guido Molinari.*
CRITIQUES: Russell (Paul): *Master stripe – painters on view*, dans *The Toronto Star*, Toronto, 28 novembre 1970. Dault (Gary Michael): *In the galleries, Toronto*, dans *Artscanada*, t. XXVIII, nº 1, livraison nº 152/153, février/mars 1971, p. 58–60.

Toronto, Carmen Lamanna Gallery, 12–31 décembre 1970 (exposition de groupe).

1971

Sarasota (Floride), John and Mable Ringling Museum of Art, 14 février – 21 mars 1971; Chicago (Ill.), Museum of Contemporary Art, 3 avril – 16 mai 1971; *49th Parallels New Canadian Art.* Catalogue.
CRITIQUE: Benbow (Charles): *New Canadian Art, a waste of time*, dans *The Globe and Mail*, Toronto, 4 mars 1971.

Lausanne (Switzerland), Palais de Rumine, Musée Cantonal des beaux-arts, *3e Salon international de Galeries pilotes, Artistes et découvreurs de notre temps*, 21 June–4 October 1970. Also exhibited: Paris, Musée d'Art Moderne de la Ville de Paris, A.R.C., 28 October–6 December 1970. Catalogue.
REVIEWS: Dorothy Cameron, "Lausanne and Venice, Summer '70/The Crisis of Canada International Part 1: Lausanne," *artscanada*, vol. XXVII, no. 5, issue 148/149 (October/November 1970), pp. 68–71. Barry Lord, "Canada: Lamanna at Lausanne," *Art and Artists*, vol. 5, no. 7 (October 1970), p. 70.

Lausanne (Switzerland), Musée des arts décoratifs, *Reflets de Galeries pilotes*, 21 June–4 October 1970. Also exhibited: Grenoble (France), Maison de la culture, 13 February–18 April 1971.

Toronto, Carmen Lamanna Gallery (group exhibition), 21 July–18 August 1970.

Montreal, Musée d'Art Contemporain, *Concours Artistiques du Québec '70*, 16 September–25 October 1970. Also exhibited: Quebec, Musée du Québec, 4–29 November 1970.
REVIEWS: Glenn Howarth, "The old school has few new boys," *The Montreal Star*, 26 September 1970. Barry Lord, "the concours artistiques du Québec 1970," *artscanada*, vol. XXVII, no. 6, issue no. 150/151 (December 1970/January 1971), pp. 61–63.

Tel Aviv, Tel Aviv Museum, Helena Rubinstein Pavillion, *Eight Artists from Canada*, 12 November–12 December 1970. Catalogue.

*Toronto, Carmen Lamanna Gallery, *Guido Molinari*, 21 November–10 December 1970.
REVIEWS: Paul Russell, "Master stripe – painters on view," *The Toronto Star*, 28 November 1970. Gary Michael Dault, "In the galleries: Toronto," *artscanada*, vol. XXVIII, no. 1, issue no. 152/153 (February/March 1971), pp. 58–60.

Toronto, Carmen Lamanna Gallery (group exhibition), 12–31 December 1970.

1971

Sarasota, Florida, John and Mable Ringling Museum of Art, *49th Parallels New Canadian Art*, 14 February–21 March 1971. Also exhibited: Chicago, Illinois, Museum of Contemporary Art, 3 April–16 May 1971. Catalogue.
REVIEW: Charles Benbow, "New Canadian Art, a waste of time," *The Globe and Mail* (Toronto), 4 March 1971.

Toronto, Carmen Lamanna Gallery, 6–25 mars 1971 (exposition de groupe).

Montréal, Musée d'Art Contemporain, 7 mars – 18 avril 1971, *Sept Artistes de Montréal.*
CRITIQUES: Kirkman (Terry), Heinz (Judy): *Seven Montreal Artists: mid-60's works, show significant as history*, dans *The Montreal Star*, Montréal, 18 mars 1971. Thériault (Normand): *Au temps des Plasticiens*, dans *La Presse*, Montréal, 13 mars 1971. White (Michael): *Montreal's hard edge works – you either love it or hate it*, dans *The Gazette*, Montréal, 20 mars 1971.

Montréal, Musée des beaux-arts de Montréal, 25 mars – 25 avril 1971; Charlottetown, Centre de la Confédération, 1er juillet – 31 août 1971; *Quatre-vingt-onzième exposition annuelle, Académie royale des arts du Canada.* Catalogue.

Toronto, Carmen Lamanna Gallery, 17 avril – 6 mai 1971, *Guido Molinari – David Rabinowitch.*

Toronto, Carmen Lamanna Gallery, 19 juin – 8 juillet 1971 (exposition de groupe).

Montréal, Terre des Hommes, Palais des Beaux-Arts, 11 juin – 6 septembre 1971, *Quinze facettes de la peinture canadienne.*
CRITIQUE: Thériault (Normand): *Dans les palais, l'art n'est pas toujours roi*, dans *La Presse*, Montréal, 3 juillet 1971.

Toronto, Carmen Lamanna Gallery, 10 juillet – 13 août 1971 (exposition de groupe).

*Montréal, Waddington Galleries, 6–23 octobre 1971, *Guido Molinari/Recent Paintings.*
CRITIQUES: Kirkman (Terry): *A stunning little show from Gabor Poterdi*, dans *The Montreal Star*, Montréal, 14 octobre 1971. White (Michael): *Molinari – the medium is color*, dans *The Gazette*, Montréal, 9 octobre 1971.

Montréal, Terre des Hommes, 11 juin – 6 septembre 1971; Québec, Musée du Québec, 10 novembre – 5 décembre 1971, *Créateurs du Québec.* Catalogue.
CRITIQUES: Giroux (Jean): *Au Musée du Québec, La terre tourne et les créateurs*, dans *Le Soleil*, Québec, 20 novembre 1971. Raphael (Shirley): *Exposition shows Quebec art behind rest of country*, dans *The Gazette*, Montréal, 31 juillet 1971.

1972

*Montréal, Sir George Williams University, Art Gallery, 3–21 mars 1972, *Molinari/Painting and Sculpture.*

Toronto, Carmen Lamanna Gallery (group exhibition), 6–25 March 1971.

Montreal, Musée d'Art Contemporain, *Sept Artistes de Montréal*, 7 March–18 April 1971.
REVIEWS: Terry Kirkman and Judy Heinz, "Seven Montreal Artists: mid-60's works, show significant as history," *The Montreal Star*, 18 March 1971. Normand Thériault, "Au temps des Plasticiens," *La Presse* (Montreal), 13 March 1971. Michael White, "Montreal's hard edge works – you either love it or hate it," *The Gazette* (Montreal), 20 March 1971.

Montreal, Montreal Museum of Fine Arts, *Ninety-first Annual Exhibition The Royal Canadian Academy of Arts*, 25 March–25 April 1971. Also exhibited: Charlottetown, Confederation Centre, 1 July–31 August 1971. Catalogue.

Toronto, Carmen Lamanna Gallery, *Guido Molinari–David Rabinowitch*, 17 April–6 May 1971.

Toronto, Carmen Lamanna Gallery (group exhibition), 19 June–8 July 1971.

Montreal, Man and His World, Palais des Beaux-Arts, *Quinze facettes de la peinture canadienne*, 11 June–6 September 1971.
REVIEW: Normand Thériault, "Dans les palais, l'art n'est pas toujours roi," *La Presse* (Montreal), 3 July 1971.

Toronto, Carmen Lamanna Gallery (group exhibition), 10 July–13 August 1971.

*Montreal, Waddington Galleries, *Guido Molinari/Recent Paintings*, 6–23 October 1971.
REVIEWS: Terry Kirkman, "A stunning little show from Gabor Poterdi," *The Montreal Star*, 14 October 1971. Michael White, "Molinari – the medium is color," *The Gazette* (Montreal), 9 October 1971.

Montreal, Man and His World, *Créateurs du Québec*, 11 June–6 September. Also exhibited: Quebec, Musée du Québec, 20 November–5 December 1971. Catalogue.
REVIEWS: Jean Giroux, "Au Musée du Québec, La terre tourne et les créateurs," *Le Soleil* (Quebec), 20 November 1971. Shirley Raphael, "Exposition shows Quebec art behind rest of country," *The Gazette* (Montreal), 31 July 1971.

1972

*Montreal, Sir George Williams University, Art Gallery, *Molinari/Painting and Sculpture*, 3–21 March 1972.

CRITIQUE: Allègre (Christian): *Les maux de tête*, dans *Le Devoir*, Montréal, 11 mars 1972. G.[illes] T.[oupin]: *Un certain maniérisme*, dans *La Presse*, Montréal, 11 mars 1972.

Toronto, Carmen Lamanna Gallery, 21 juin – 31 juillet 1972, *Summer Exhibition.*

*Halifax (N.-É), Dalhousie Art Gallery, Dalhousie University Arts Centre, 3–23 octobre 1972, *Paintings by Guido Molinari.*

Montréal, Sir George Williams University, 19 octobre – 7 novembre 1972, *Faculty Show.*

1973

Ottawa, Centre de conférences du gouvernement canadien, 2–10 août 1973, *Exposition d'œuvres canadiennes contemporaines.* Catalogue.

Québec, Galerie Jolliet, 23 janvier – 17 février 1973, *Molinari.*

Montréal, Musée d'Art Contemporain, 28 août[?] – 23 septembre 1973, *Peintres du Québec 1960 – 1970.*

1974

Montréal, Terres des Hommes, Pavillon du Québec, 15 juin – 2 septembre 1974, *Les Arts du Québec.*

*Paris, Centre culturel canadien, 21 novembre 1974 – 12 janvier 1975; Londres, Canada House Gallery, 4 février – 15 mars 1975; *Guido Molinari.* Catalogue.

CRITIQUE: Shaul (Sandra): *Winter Shows by Canadians, Paris, France*, dans *Art Magazine*, t. 6, nº 21, printemps 1975, p. 50–51.

REVIEWS: Christian Allègre, "Les maux de tête," *Le Devoir* (Montreal), 11 March 1972. G.[illes] T.[oupin], "Un certain maniérisme," *La Presse* (Montreal), 11 March 1972.

Toronto, Carmen Lamanna Gallery, *Summer Exhibition*, 21 June–31 July 1972.

*Halifax, Dalhousie University Arts Centre, Dalhousie Art Gallery, *Paintings by Guido Molinari*, 3–23 October 1972.

Montreal, Sir George Williams University, *Faculty Show*, 19 October–7 November 1972.

1973

Ottawa, Government of Canada Conference Centre, *Exhibition of Contemporary Canadian Art*, 2–10 August 1973. Catalogue.

Quebec, Galerie Jolliet, *Molinari*, 23 January–17 February 1973.

Montreal, Musée d'Art Contemporain, *Peintres du Québec 1969–1970*, 28 August [?]–23 September 1973.

1974

Montreal, Man and His World, Pavillon du Québec, *Les Arts du Québec*, 15 June–2 September 1974.

*Paris, Canadian Cultural Centre, *Guido Molinari*, 21 November 1974–12 January 1972. Also exhibited: London, Canada House Gallery, 4 February–15 March 1975. Catalogue.

REVIEW: Sandra Shaul, "Winter Shows by Canadians, Paris, France," *Art Magazine*, vol. 6, no. 21 (Spring 1975), pp. 50–51.

Écrits de l'artiste

Dans l'ordre chronologique

Tous les textes mentionnés ci-dessus, sauf ceux précédés d'un astérisque, sont reproduits au complet dans *Guido Molinari: Écrits sur l'art* (*1954-1975*), collection Documents d'histoire de l'art canadien N° 2, publiée par la Galerie nationale du Canada, 1976.

Sans titre (télégramme), sous «*Pêle-Mêle*», dans *Le Petit Journal*, Montréal, 5 septembre 1954.

L'Espace tachiste ou Situation de l'automatisme, dans *L'Autorité*, Montréal, 2 avril 1955, p. 3–4.

**L'Affaire du Musée, G. Molinari demande la démission de M. Steegman*, lettre à la rédaction, sous «*Théâtre-Cinéma*», dans *Le Devoir*, Montréal, 29 août 1958.

Le langage de l'art abstrait, dans le catalogue d'exposition *Art Abstrait*, Montréal, École des Beaux-Arts, 12–27 janvier 1959.

Notes sur la peinture, Ré-évaluation de Wassily Kandinsky, dans *Situations*, t. 1, n° 3, mars 1959, p. 53–56.

Le salon et les peintres, sous «*La Peinture*», dans *Situations*, t. 1, n° 4, avril 1959, p. 58–60.

Les Automatistes au Musée, dans *Situations*, t. 1, n° 7, septembre 1959, p. 46–48.

Huit dessins de Claude Tousignant, dans *Situations*, t. 1, n° 7, septembre 1959, p. 52–53.

**A nui cri* (poème), dans *Situations*, t. 1, n° 7, septembre 1959, p. 91.

Réflexions sur l'automatisme et le plasticisme, sous «*Chroniques de la Peinture*», dans *Situations*, 3ᵉ année, n° 2, mars–avril 1961, p. 65–68.

Statement by the Artist, dans Harold (Margaret) [comp.], *Prize Winning Paintings: Book III. Abstract Edition*, Allied Publications Inc., Fort Lauderdale (Floride), 1963 (texte sur *Opposition rectangulaire*).

Sans titre, dans le catalogue d'exposition *Guido Molinari*, Regina, Norman Mackenzie Art Gallery, 12–29 mars 1964; Vancouver, Vancouver Art Gallery, 17 avril – 17 mai 1964. (Ce texte fut ensuite reproduit en anglais et en français dans le catalogue d'ex-

Writings by the artist

In chronological order

All entries listed below, except those marked with an asterisk (*), are reproduced in full in Pierre Théberge, comp., *Guido Molinari: Écrits sur l'art* (*1954–1975*), Documents in the History of Canadian Art, 2. (Ottawa: The National Gallery of Canada, 1976). Hereafter referred to as *Écrits Molinari* (NGC).

[Untitled telegram] in "Pêle-Mêle." *Le Petit Journal* (Montreal), 5 September 1954.

"L'Espace tachiste ou Situation de l'automatisme." *L'Autorité* (Montreal), 2 April 1955, pp. 3–4.

*"L'Affaire du Musée, G. Molinari demande la démission de M. Steegman." *Le Devoir* (Montreal), 29 August 1958. Letter to the editor, section "Théâtre-Cinéma."

"Le langage de l'art abstrait." *Art Abstrait* (exhibition catalogue), Montreal: École des Beaux-Arts, 1959.

"Notes sur la peinture, Ré-évaluation de Wassily Kandinsky." *Situations*, vol. 1, no. 3 (March 1959), pp. 53–56.

"La Peinture: Le salon et les peintres." *Situations*, vol. 1, no. 4 (April 1959), pp. 58–60.

"Les Automatistes au Musée." *Situations*, vol. 1, no. 7 (September 1959), pp. 46–48.

"Huit dessins de Claude Tousignant." *Situations*, vol. 1, no. 7 (September 1959), pp. 52–53.

*"A nui cri" (poem). *Situations*, vol. 1, no. 7 (September 1959), p. 91.

"Chroniques de la Peinture: Réflexions sur l'automatisme et le plasticisme." *Situations*, 3rd year, no. 2 (March–April 1961), pp. 65–68.

[Untitled], in Margaret Harold, comp., *Prize Winning Paintings: Book III. Abstract Edition*. Fort Lauderdale: Allied Publications, 1963. (Text on *Rectangular Opposition*.)

[Untitled], in *Guido Molinari* (exhibition catalogue). Regina: Norman Mackenzie Art Gallery, 1964. Reproduced in English and French in *Molinari* (exhibition catalogue), Montreal: Galerie du Siècle, 1964.

position *Molinari*, Montréal, Galerie du Siècle, 19 octobre – 8 novembre 1964.)

Statement on Mondrian, inédit, daté de mars 1965. (Écrit à la demande du professeur Robert Welsh de l'Université de Toronto qui préparait un article sur Mondrian publié dans le n° 100 de *Canadian Art*.)

Artist's Statement, manuscrit daté de 1965. (Écrit pour l'édition 1965 de Harold (Margaret) [comp.], *Prize Winning Paintings: Book V*.)

Sans titre, sous «*Ten Artists in Search of Canadian Art*», dans *Canadian Art*, t. XXIII, n° 1, livraison n° 100, janvier 1966, p. 63–64. (Intitulé *L'Op Art et l'illusion du jamais vu* dans le manuscrit français.)

Sans titre, manuscrit sur *Mutation brun-rouge*. (Écrit pour l'édition 1966 de Harold (Margaret) [comp.], *Prize Winning Paintings: Book VI*, et publié en anglais sous le titre *Statement by the Artist*.)

Notes sur la sculpture de Calder, inédit. (Soumis en juin 1967 pour le catalogue d'exposition *Sculpture 67*.)

Sans titre, dans le catalogue d'exposition *Statements 18 Canadian Artists*, Regina, Norman Mackenzie Art Gallery, 16 novembre – 17 décembre 1967, p. 70–74.

Notes sur la critique, manuscrit daté du 21 décembre 1967. (Écrit pour *La Presse*, Montréal, publié le 30 décembre 1967 sous «(*Sic!*)», et intitulé *La perception des structures*.

L'écrivain a des antennes, dans *Liberté*, t. 11, n°s 3–4, mai-juin-juillet 1969, p. 115–119.

Molinari: Pour un art de participation, dans *La Presse*, Montréal, 3 janvier 1970.

Sur: Le choix de peindre sur de grandes surfaces, texte daté du 4 décembre 1969. Publié dans le catalogue d'exposition *Grands Formats*, Montréal, Musée d'Art Contemporain, 22 janvier – 15 février 1970, p. 20–23.

L'art actuel désamorcé, manuscrit daté de mars 1971. (Écrit pour *La Presse* de Montréal et publié le 3 avril 1971 sous le titre *Molinari: un geste social* à l'intérieur de l'article de Normand Thériault intitulé *Un débat académique*.)

"Statement on Mondrian" [manuscript dated 1965], written for Robert Welsh of Toronto who was preparing an article on Mondrian, published in *Canadian Art* (no. 100).

"Artist's Statement," in Margaret Harold, comp., *Prize Winning Paintings: Book V*. Fort Lauderdale: Allied Publications, 1965. Complete MS as submitted (dated 1965), reproduced in *Écrits Molinari* (NGC).

[Untitled], in "Ten artists in Search of Canadian Art." *Canadian Art*, vol. XXIII, no. 1, issue no. 100 (January 1966), pp. 63–64. French MS entitled "L'Op Art et l'illusion," reproduced in *Écrits Molinari* (NGC).

[Untitled], in Margaret Harold, comp., *Prize Winning Paintings: Book VI*. Fort Lauderdale: Allied Publications, 1966. Complete MS as submitted (text on *Brown-Red Mutation*), reproduced in *Écrits Molinari* (NGC).

"Notes sur la sculpture de Calder" [manuscript written June 1967], for the exhibition catalogue *Sculpture 67*, but not used.

[Untitled], in *Statements 18 Canadian Artists* (exhibition catalogue). Regina: Norman Mackenzie Art Gallery, 1967, pp. 70–74.

"(Sic!): La perception des structures: Notes sur la critique." *La Presse* (Montreal), 30 December 1967. Original MS dated 21 December 1967.

"L'écrivain a des antennes." *Liberté*, vol. 11, nos. 3–4 (May–June–July 1969), pp. 115–119.

"Molinari: Pour un art de participation." *La Presse* (Montreal), 3 January 1970.

"Sur: Le choix de peindre sur de grandes surfaces," in *Grands Formats* (exhibition catalogue). Montreal: Musée d'Art Contemporain, 1970, pp. 20–23. MS dated 4 December 1969.

"Molinari: un geste social," in Normand Thériault, "Un débat académique." *La Presse* (Montreal), 3 April 1971. Original MS (dated March 1971), "L'art actuel désamorcé," reproduced in *Écrits Molinari* (NGC).

"Réflexions sur la notion d'objet et de série," in François Gagnon, ed., *Conférences J.A. de Sève, 11–12, Peinture canadienne-française: Débats*. Montreal: Les Presses de l'Université de Montréal, 1971, pp. 61–80.

Réflexions sur la notion d'objet et de série, dans François Gagnon (éd.), *Conférences J. A. de Sève, 11–12, Peinture canadienne-française: Débats*, Les Presses de l'Université de Montréal, 1971, p. 61–80.

Colour in the Creative Arts, texte inédit d'une conférence prononcée au Conseil national de recherches du Canada, Ottawa, lors du colloque de fondation de la Canadian Society for Colour in Art, Industry and Science, 15–16 mai 1972.

Sans titre, dans le catalogue d'exposition *Paintings by Guido Molinari*, Halifax (N.-É.), Dalhousie University, 3–23 octobre 1972. (Conclusion du texte *Colour in the Creative Arts.*)

Sans titre, dans Withrow (William): *Contemporary Canadian Painting*, McClelland and Stewart, Toronto, 1972.

Sans titre, texte inédit d'un discours prononcé le 5 juillet 1973, à la Galerie nationale du Canada, à Ottawa, lors de l'inauguration de l'exposition *Boucherville/Montréal/Toronto/London 1973.*

Sans titre, texte inédit d'une conférence prononcée le 14 mars 1974, à l'Université du Québec à Montréal.

La notion d'artiste, texte inédit d'un exposé prononcé le 21 octobre 1975 au Musée d'Art Contemporain de Montréal, lors d'un débat sur ce thème organisé pendant le «Semaine sur le système de l'art» qui eut lieu du 20 au 26 octobre 1975 au cours de l'exposition *Québec 75.*

"Colour in the Creative Arts." Speech given at the National Research Council, Ottawa, at the founding of the Canadian Society for Colour in Art, Industry and Science (15 and 16 May 1972).

[Untitled], in *Paintings by Guido Molinari* (exhibition catalogue). Halifax: Dalhousie University, 1972. Conclusion of the text "Colour in the Creative Arts."

[Untitled], in William Withrow, *Contemporary Canadian Painting.* Toronto: McClelland and Stewart, 1972.

[Untitled]. Speech given 5 July 1973 at the National Gallery of Canada, Ottawa, at the opening of the exhibition *Boucherville/Montreal/Toronto/London 1973.*

[Untitled]. Lecture delivered at l'Université du Québec à Montréal, 14 March 1974.

"La notion d'artiste." Contribution to a debate (21 October 1975) on the same subject held at the Musée d'Art Contemporain, Montreal, during the "Semaine sur le système de l'art" (20–26 October 1975) as part of the exhibition *Québec 75.*

Interviews et citations

Dans l'ordre chronologique

Anonyme, *L'actuelle une galerie du non-figuratif*, dans *La Réforme*, Montréal, 8 juin 1955 (propos cités).

Moore (Jaqueline) et Louis Jacques: *Here's How to Look at Non-Objective Art*, sous *Their Objective Is Non-Objective*, dans *Weekend Magazine*, t. 6, nº 36, 8 septembre 1956 (propos cités).

Lasnier (Yves): *Problèmes formels des «plasticiens»* dans *Le Devoir*, Montréal, 10 avril 1961 (interview).

Robert (Guy): *Où en est notre jeune peinture?* (2ᵉ partie), dans *Le Devoir*, Montréal, 25 novembre 1961 (réponses à un questionnaire).

Millet (Robert): *du molinarisme au plasticisme avec Guido Molinari*, dans *Le Nouveau Journal*, Montréal, 7 avril 1962 (interview).

J.[asmin] C.[laude]: *Guido Molinari, un anarchiste rangé?*, dans *La Presse*, Montréal, 14 avril 1962 (interview).

Borduas (Paul): *Molinari, Intuition Rationalisée!*, dans *Le Laurentien*, Collège de Saint-Laurent, Montréal, octobre 1962, p. 4 (interview).

L'Heureux (Robert): *Une heure avec Guido Molinari*, dans *Le Droit*, Ottawa, 9 octobre 1964 (propos cités).

Montbizon (Rea): *Molinari on Molinari*, dans *The Gazette*, Montréal, 24 octobre 1964 (propos cités).

Godin (Gérald): *Terrible la vie de peintre*, dans *Le Magazine Maclean*, t. 5, nº 3, mars 1965, p. 60 (interview).

Brunet (Yves, Gabriel): *Le peintre Guido Molinari: l'immanence mallarméenne*, dans *Le Devoir*, Montréal, 8 avril 1965 (interview).

Rastoul (Pierre): *L'art et la personnalité de Molinari*, dans *Le Brébeuf*, Collège Brébeuf, Montréal, 4 octobre 1965, p. 3 (propos cités).

K.[ritzwizer] K.[ay]: *Learning anti-gravity in the Mondrian style*, dans *The Globe and Mail*, Toronto, 26 février 1966 (propos cités).

R.[obillard Y.[ves]: *La querelle de l'automatisme et de l'abstraction*, dans *La Presse*, Montréal, 1ᵉʳ juillet 1967 (propos cités).

Sans titre, dans le catalogue d'exposition *Sculpture 67*, Ottawa, Galerie nationale du Canada, été 1967, p. 18–19 (interview).

Crawford (Lenore): *New means to help artists urged*, dans *The London Free Press*, London (Ontario), 18 novembre 1967 (propos cités).

Millet (Robert): *Molinari a quitté l'auréole pour une ancre d'une tonne*, dans *Le Magazine Maclean*, t. 8, nº 2, février 1968, p. 49 (interview).

Robillard (Yves): *Molinari et la série verticale*, dans *La Presse*, Montréal, 10 février 1968 (interview).

Sans titre, dans le catalogue d'exposition *Canada: Ulysse Comtois, Guido Molinari*, Venise XXXIVᵉ Exposition biennale internationale d'art, 22 juin – 20 octobre 1968, p. 7 (propos cités).

Interviews and quotations

In chronological order

Anonymous. "L'actuelle une galerie du non-figuratif." *La Réforme* (Montreal), 8 June 1955. Artist quoted.

"Here's How to Look At Non-Objective Art," in Moore, Jaqueline and Louis Jacques, "Their Objective is Non-Objective," *Weekend Magazine*, vol. 6, no. 36 (8 September 1956). Artist quoted.

Lasnier, Yves. "Problèmes formels des 'plasticiens.'" *Le Devoir* (Montreal), 10 April 1961. Interview.

Robert, Guy. "Où en est notre jeune peinture?" (part 2). *Le Devoir* (Montreal), 25 November 1961. Reply to a questionnaire.

Millet, Robert, "du molinarisme au plasticisme avec Guido Molinari." *Le Nouveau Journal* (Montreal), 7 April 1962. Interview.

J.[asmin], C.[laude]. "Guido Molinari, un anarchiste rangé?" *La Presse* (Montreal), 14 April 1962. Interview.

Borduas, Paul. "Molinari, Intuition Rationalisée!" *Le Laurentien* (Collège de Saint-Laurent, Montreal), October 1962, p. 4. Interview.

L'Heureux, Robert. "Une heure avec Guido Molinari." *Le Droit* (Ottawa), 9 October 1964. Artist quoted.

Montbizon, Rea. "Molinari on Molinari." *The Gazette* (Montreal), 24 October 1964. Artist quoted.

Godin, Gérald. "Terrible la vie de peintre." *Le Magazine Maclean*, vol. 5, no. 3 (March 1965), p. 60. Interview.

Brunet, Yves Gabriel. "Le peintre Guido Molinari: l'immanence mallarméenne." *Le Devoir* (Montreal), 8 April 1965. Interview.

Rastoul, Pierre. "L'art et la personnalité de Molinari." *Le Brébeuf* (Collège Brébeuf, Montreal), 4 October 1965, p. 3. Artist quoted.

K.[ritzwizer], K.[ay]. "Learning anti-gravity in the Mondrian style." *The Globe and Mail* (Toronto), 26 February 1966. Artist quoted.

R.[obillard], Y.[ves]. "La querelle de l'automatisme et de l'abstraction." *La Presse* (Montreal), 1 July 1967. Artist quoted.

[Untitled], in Dorothy Cameron, *Sculpture 67* (exhibition catalogue). Ottawa: The National Gallery of Canada, 1967, pp. 18–19. Interview.

Crawford, Lenore. "New means to help artists urged." *The London Free Press* (London, Ont.), 18 November 1967. Artist quoted.

Millet, Robert. "Molinari a quitté l'auréole pour une ancre d'une tonne." *Le Magazine MacLean*, vol. 8, no. 2 (February 1968), p. 49. Interview.

Robillard, Yves. "Molinari et la série verticale." *La Presse* (Montreal), 10 February 1968. Interview.

[Untitled], in Brydon Smith, *Canada: Ulysse Comtois, Guido Molinari* (exhibition catalogue, XXXIV Venice Biennial). Ottawa: The National Gallery of Canada, 1968, p. 7. Artist quoted.

Dexter (Gail): *An artist unites man and environment*, dans *The Toronto Star*, Toronto, 15 mars 1969 (propos cités).

Basile (Jean): *Découvrons Molinari*, dans *Le Devoir*, Montréal, 29 mars 1969 (interview).

Théberge (Pierre): *Molinari an interview*, dans *Artscanada*, t. XXVI, nº 3, livraison nº 132/133, juin 1969, p. 37–38.

Bardo (Arthur): *Back to Square One: A discussion*, dans *The Montreal Star*, Montréal, 3 janvier 1970 (propos cités).

Thériault (Normand): *New York a-t-il copié Montréal?*, dans *La Presse*, Montréal, 3 octobre 1970 (propos cités).

———: *L'Académie s'en va*, dans *La Presse*, Montréal, 27 mars 1971 (propos cités).

White (Michael): *Molinari – the medium is colour*, dans *The Gazette*, Montréal, 9 octobre 1971 (propos cités).

Quebec Underground 1962–1972 – Tome I, Yves Robillard (réd.), Les Éditions Médiart, Montréal, mars 1973, p. 220–224 (propos cités dans le compte rendu d'un débat entre Robert Klein et l'artiste sur le Bauhaus le 30 mars 1966).

———: *Ibid*, p. 345–349 (propos cités dans le compte rendu d'un débat entre Alain Bardiou, Fernande Saint-Martin et l'artiste sur une esthétique marxiste le 19 septembre 1968).

Anonyme: *Débat: Québec Underground, 23 mars 1973*. Feuillet publié par Véhicule, Montréal, 22 mai 1973 (propos cités).

Anonyme: *Molinari et Gingras exposent à Paris*, dans *Le Jour*, Montréal, 27 novembre 1974 (propos cités).

Dexter, Gail. "An artist unites man and environment." *The Toronto Star*, 15 March 1969. Artist quoted.

Basile, Jean. "Découvrons Molinari." *Le Devoir* (Montreal), 29 March 1969. Interview.

Théberge, Pierre. "Molinari an interview." *artscanada*, vol. XXVI, no. 3, issue no. 132/133 (June 1969), pp. 37–38.

Bardo, Arthur. "Back to Square One: A discussion." *The Montreal Star*, 3 January 1970. Artist quoted.

Thériault, Normand. "New York a-t-il copié Montréal?" *La Presse* (Montreal), 3 October 1970. Artist quoted.

———. "L'Académie s'en va." *La Presse* (Montreal), 27 March 1971. Artist quoted.

White, Michael. "Molinari – the medium is colour." *The Gazette* (Montreal), 9 October 1971. Artist quoted.

Débat Québec underground 23 mars 1973. Montreal: Véhicule, 22 May 1973 (pamphlet). Artist quoted.

Robillard, Yves, ed. *Quebec Underground, 1962–1972, Vol. 1*. Montreal: Éditions Mediart, 1973, pp. 220–224 (artist quoted in the account of a debate between Robert Klein and the artist on the subject of the Bauhaus, 30 March 1966), and pp. 345–349 (artist quoted in the account of a debate between Alain Bardiou, Fernande Saint-Martin and the artist on the subject of a Marxist esthetic, 19 September 1968).

"Molinari et Gingras exposent à Paris." *Le Jour* (Montreal), 27 November 1974. Artist quoted.

Livres

Adamson (Jeremy): *The Hart House Collection of Canadian Painting*, Toronto, University of Toronto Press, 1969.

Boggs (Jean Sutherland): *The National Gallery of Canada*, Toronto, Oxford University Press, 1971, p. 63, repr. nº 146.

Harper (J. Russell): *Painting in Canada, A History*, University of Toronto Press, Toronto, 1966, p. 410, 412, 426.

———: *La Peinture au Canada des origines à nos jours*, Les Presses de l'université Laval, Québec, 1966, p. 410, 412, 426.

Kilbourn (Elizabeth): *Great Canadian Painting*, Canadian Centennial Publishing Ltd., Toronto, 1966, p. 116.

Lord (Barry): *The History of Painting in Canada/Toward a People's Art*, N.C. Press, Toronto, 1974, p. 163–166, 167–168.

Pellegrini (Aldo): *New Tendencies in Art*, Crown Publishers, New York, 1966.

Phaidon Dictionary of Twentieth Century Art, Phaidon, Londres et New York, 1973.

Reid (Dennis): *A Concise History of Canadian Painting*, Oxford University Press, Toronto, 1973, p. 282–287, 305, xxxiv.

Robert (Guy): *L'Art au Québec Depuis 1940*, Éditions La Presse, Montréal, 1973, p. 109, 113–114, 125–126.

———: *École de Montréal*, Centre de Psychologie et de Pédagogie, Montréal, 1964, p. 22, 54.

Saint-Martin (Fernande): *Structures de l'Espace Pictural*, H.M.H., Montréal, 1968, p. 139–140.

Townsend (William) (édit.): *Canadian Art Today*, Studio International, Londres, 1970.

Tremblay (Jean-Noël): «Préface», dans *Collections des Musées d'État du Québec*, Gouvernement du Québec, Québec, 1967.

Withrow (William): *Contemporary Canadian Painting*, McClelland and Stewart, Toronto, 1972, p. 161–168, 215–216.

———: *La peinture canadienne contemporaine* (trad. par Chicoine, René), Éditions du Jour, Montréal, 1973, p. 161–168, 215–216.

Books

Adamson, Jeremy. *The Hart House Collection of Canadian Painting*. Toronto, University of Toronto Press, 1969.

Boggs, Jean Sutherland. *The National Gallery of Canada*. Toronto: Oxford University Press, 1971, p. 63, repr. no. 146.

Collections des Musées d'Etat du Québec. Preface by Jean-Noël Tremblay. Quebec: Government of Quebec, 1967.

Harper, J. Russell. *Painting in Canada, A History*. Toronto: University of Toronto Press, 1966, pp. 410, 412, 426.

Kilbourn, Elizabeth. *Great Canadian Painting*. Toronto: Canadian Centennial Publishing Ltd., 1966, p. 116.

Lord, Barry. *The History of Painting in Canada: Toward a People's Art*, Toronto: N.C. Press, 1974, pp. 163–166; 167–168.

Pellegrini, Aldo. *New Tendencies in Art*. New York: Crown Publishers, 1966.

Phaidon Dictionary of Twentieth Century Art. Phaidon: London and New York, 1973.

Reid, Dennis. *A Concise History of Canadian Painting*. Toronto: Oxford University Press, 1973, pp. 282–287, 305, xxxiv.

Robert, Guy. *L'Art au Québec Depuis 1940*. Montreal: Éditions La Presse, 1973, pp. 109, 113–114, 125–126.

———. *École de Montréal*. Montreal: Centre de Psychologie et de Pédagogie, 1964, pp. 22, 54.

Saint-Martin, Fernande. *Structures de l'Espace Pictural*. Montreal: H.M.H., 1961, pp. 139–140.

Townsend, William, ed. *Canadian Art Today*. London: Studio International, 1970.

Withrow, William. *Contemporary Canadian Painting*. Toronto: McClelland and Stewart, 1972, pp. 161–168, 215–216.

Articles

Anonyme [Fernande Saint-Martin]: *Nouvelle Galerie de Peinture* (communiqué), dans *Le Devoir*, Montréal, 31 mai 1955.

———: *L'Actuelle, une galerie pour la jeune peinture* (communiqué), dans *La Presse*, Montréal, 28 mai 1955.

Anonyme: *L'Actuelle une galerie du non-figuratif*, dans *La Réforme*, Montréal, 18 juin 1955, p. 6.

Anonyme: *L'Association des Arts Plastiques exige la démission de Guy Robert; Laporte répond qu'il n'en fera rien*, dans *La Presse*, Montréal, 12 mars 1965.

Ayre (Robert): *Non-Objective Can Be Non-Meaningful*, dans *The Montreal Star*, Montréal, 11 février 1956.

———: *Artists Demand Ouster of New Museum's Chief*, dans *The Montreal Star*, Montréal, 12 mars 1965.

Bantley (Bill): *Robert's Ouster Sought*, dans *The Gazette*, Montréal, 12 mars 1965.

Basile (Jean): *Remous au Musée d'art contemporain*, dans *Le Devoir*, Montréal, 13 mars 1965.

Bélanger-Gnass (Gaétane) et Gilles Toupin: *Femmes d'artistes*, sous «*Musée d'art contemporain: la parole est aux artistes*», dans *La Presse*, Montréal, 20 janvier 1973.

Bengle (Céline): *Discours sur Molinari*, dans *Guido Molinari*, Montréal, Éditions Yvan Boulerice [1973 ?].

Borduas (Paul-Émile): *Borduas situe la peinture contemporaine*, dans *L'Autorité*, Montréal, 12 mars 1955.

———: *. . . et Borduas répond à Fernand Leduc*, dans *L'Autorité*, Montréal, 12 mars 1955.

Corbeil (Danielle): *Introduction*, catalogue d'exposition *Claude Tousignant*, Ottawa, Galerie nationale du Canada, 1973–1974.

Delloye (Charles): introduction et notices, catalogue d'exposition *La Peinture Canadienne Moderne, 25 années de peinture au Canada-français*, Spolète (Italie), Palazzo Collicola, 26 juin – 23 août 1962. Autres notices de Michel Lortie et Paquerette Villeneuve.

De Repentigny (Françoise): *Un Art Différent: Molinari*, dans *Chatelaine*, Montréal, avril 1961.

De Repentigny R.[odolphe]: *Réflexions sur l'Etat de la «Jeune Peinture» 1957*, sous «*Expositions*», dans *Vie des Arts*, n° 7, été 1957, p. 32–33.

Dumas (Paul): *La peinture de Guido Molinari*, dans *L'Information Médicale et Paramédicale*, Montréal, 3 juin 1969, p. 25.

Gagnon (François): *La jeune peinture au Québec*, dans *La Revue d'Esthétique*, t. XXII, n° 3, juillet 1969, p. 262–274.

———: *Mimétisme en peinture contemporaine au Québec*, dans *Conférences J. A. de Sève, 11–12, Peinture canadienne-française: Débats*, Les Presses de l'Université de Montréal, 1971, p. 39–60.

———: *Conclusion*, *op. cit.*, p. 85–104.

———: *Québec painting 1953–56 – a turning point*, dans *Artscanada*, t. XXX, n° 1, livraison n° 176/177, février–mars 1973, p. 48–50.

Gauvreau (Claude): *Les fous qui n'en sont pas* (lettre à la rédaction), dans *Le Haut Parleur*, Montréal, t. IV, n° 34, 15 août 1953, p. 2.

Articles

"L'Actuelle une galerie du non-figuratif." *La Réforme* (Montreal), 18 June 1955, p. 6.

"L'Association des Arts Plastiques exige la démission de Guy Robert; Laporte répond qu'il n'en fera rien." *La Presse* (Montreal), 12 March 1965.

Ayre, Robert. "Non-Objective Can be Non-Meaningful." *The Montreal Star*, 1 February 1965.

———. "Artists Demand Ouster of New Museum's Chief." *The Montreal Star*, 12 March 1965.

Bantley, Bill. "Robert's Ouster Sought." *The Gazette* (Montreal), 12 March 1965.

Basile, Jean. "Remous au Musée d'art contemporain." *Le Devoir* (Montreal), 13 March 1965.

Bélanger-Gnass, Gaétane, and Gilles Toupin. "Musée d'art contemporain: la parole est aux artistes: Femmes d'artistes." *La Presse* (Montreal), 20 January 1973.

Bengle, Céline. "Discours sur Molinari," in *Guido Molinari*. Montreal: Éditions Yvan Boulerice (1973?). Booklet accompanying slide set.

Borduas, Paul-Émile. "Borduas situe la peinture contemporaine." *L'Autorité* (Montreal), 12 March 1955.

———. "...Et Borduas répond à Fernand Leduc." *L'Autorité* (Montreal), 12 March 1955.

Corbeil, Danièlle. "Introduction," in *Claude Tousignant* (exhibition catalogue). Ottawa: The National Gallery of Canada, 1973.

Delloye, Charles. "Introduction" and notices in *La Peinture Canadienne Moderne, 25 années de peinture au Canada-français* (exhibition catalogue). Quebec: Quebec Ministry of Cultural Affairs, 1962. Other notices by Michel Lortie and Paquerette Villeneuve.

De Repentigny, Françoise. "Un Art Différent: Molinari." *Chatelaine* (April 1961).

De Repentigny R.[odolphe]. "Expositions: Réflexions sur l'État de la 'Jeune Peinture' 1957." *Vie des Arts*, no. 7 (Summer 1957), pp. 32–33.

Dumas, Paul. "La peinture de Guido Molinari." *L'Information Médicale et Paramédicale* (Montreal), 3 June 1969, p. 25.

Gagnon, François. "La jeune peinture au Québec." *La Revue d'Esthétique*, vol. XXII, no. 3 (July 1969), pp. 262–274.

———. "Mimétisme en peinture contemporaine au Québec." *Conférences J.A. de Sève, 11–12, Peinture Canadienne-française: Débats*. Montreal: Les Presses de l'Université de Montréal, 1971, pp. 39–60. Also "Conclusion," pp. 85–104.

———. "Québec painting 1953–56 – a turning point." *artscanada*, vol. XXX, no. 1, issue no. 176/177 (February–March 1973), pp. 48–50.

Gauvreau, Claude. "Les fous qui n'en sont pas" (letter to the editor). *Le Haut Parleur*, vol. IV, no. 34 (15 August 1953), p. 2.

G. H.: *Un comité spécial de Guido Molinari étudie le «problème» de Guy Robert et de la fameuse exposition Rouault*, dans *Dimanche-Matin*, Montréal, 28 mars 1965.

Gladu (Paul): *La peinture non-figurative a maintenant droit de cité*, dans *Le Petit Journal*, Montréal, 5 août 1956.

Hudson (Andrew): *Phenomenon: Colour Painting in Montreal*, dans *Canadian Art*, t. XXI, n° 6, livraison n° 94, novembre–décembre 1964, p. 358–361.

Kritzwiser (Kay): *The Canadian Touch: Montreal . . .*, dans *The Globe and Mail*, Toronto, 30 septembre 1968.

Lamy (Laurent): *Molinari: Une intransigeance formelle*, dans *Vie des Arts*, n° 66, printemps 1972, p. 53–57.

Laurin (François): *Les Peintures en Damiers de Molinari*, dans *The Journal of Canadian Art History*, t. 1, automne 1974, p. 35–39, repr.

Leduc (Fernand): *Fernand Leduc vs Borduas*, dans *L'Autorité*, Montréal, 5 mars 1955.

Lord (Barry): *Discover Canada!*, dans *Art in America*, t. 55, n° 3, mai–juin 1967, p. 78–84.

———: *New Work from Montreal*, dans *Art in America*, t. 57, n° 3, mai–juin 1969, p. 101.

———: *B+W=3*, dans *Artscanada*, t. XXVI, n° 4, livraison n° 134/135, août 1969, p. 2–7.

Millet (Robert): *du molinarisme au plasticisme avec Guido Molinari*, dans *Le Nouveau Journal*, Montréal, 7 avril 1962.

Montbizon (Rea): *After the Biennale A Speculation Between Seasons*, dans *The Gazette*, Montréal, 8 août 1964.

———: *Hard Edge: A Word on Labels*, dans *The Gazette*, Montréal, 24 octobre 1964.

R.[obillard] Y.[ves]: *La querelle de l'automatisme et de l'abstraction*, dans *La Presse*, Montréal, 1er juillet 1967.

Russell (Paul): *Panorama of a Mature Scene*, dans *The Globe Magazine*, Toronto, 17 août 1968, p. 10–11.

Saint-Martin (Fernande): *Point de vue*, préface du catalogue de *l'Exposition de peinture canadienne*, Montréal, École des Hautes Études Commerciales, 12–30 novembre 1955.

———: *Révélations de l'Art Abstrait*, catalogue de l'exposition *Art Abstrait*, Montréal, École des Beaux-Arts, 12–27 janvier 1959.

———: *Vers une nouvelle ésthétique industrielle*: *L'Illusion Optique de l'Op Art*, dans *Vie des Arts*, n° 39, été 1965, p. 28–31.

———: *Le Dynamisme des Plasticiens de Montréal*, dans *Vie des Arts*, n° 44, automne 1966, p. 44–48, 92–93.

Sweeney (James Johnson): *Mondrian, the Dutch and De Stijl*, dans *Art News*, t. 50, n° 4, juin–juillet–août 1951, p. 24–25, 62–64.

Teyssèdre (Bernard): *Guido Molinari, un point limite de l'abstraction chromatique*, catalogue de l'exposition *Guido Molinari*, Paris, Centre culturel canadien, 21 novembre 1974 – 12 janvier 1975.

———: *Espace dynamique*. Texte polycopié en guise d'introduction à l'exposition *Espace Dynamique 1956–1967*, Montréal, Galerie du Siècle, 7 novembre – 5 décembre 1967.

[G.H.] "Un comité spécial de Guido Molinari étudie le 'problème' de Guy Robert et de la fameuse exposition Rouault." *Dimanche–Matin* (Montreal), 28 March 1965.

Gladu, Paul. "La peinture non-figurative a maintenant droit de cité." *Le Petit Journal* (Montreal), 5 August 1956.

Hudson, Andrew. "Phenomenon: Colour Painting in Montreal." *Canadian Art*, vol. XXI, no. 6, issue no. 94 (November–December 1964), pp. 358–361.

Kritzwiser, Kay. "The Canadian Touch: Montreal...." *The Globe and Mail* (Toronto), 30 September 1968.

Lamy, Laurent. "Molinari: Une intransigeance formelle." *Vie des Arts*, no. 66 (Spring 1972), pp. 53–57.

Laurin, François. "Les Peintures en Damiers de Molinari." *The Journal of Canadian Art History*, vol. 1, no. 2 (Autumn 1974), pp. 35–39, repr.

Leduc, Fernand. "Fernand Leduc vs Borduas." *L'Autorité* (Montreal), 5 March 1955.

Lord, Barry. "Discover Canada!" *Art in America*, vol. 55, no. 3 (May–June 1967), pp. 78–84.

———. "New Work from Montreal." *Art in America*, vol. 57, no. 3 (May–June 1969), p. 101.

———. "B+W=3." *artscanada*, vol. XXVI, no. 4, issue no. 134/135 (August 1969), pp. 2–7.

Millet, Robert. "du molinarisme au plasticisme avec Guido Molinari." *Le Nouveau Journal* (Montreal), 7 April 1962.

Montbizon, Rea. "After the Biennale A Speculation Between Seasons." *The Gazette* (Montreal), 8 August 1964.

———. "Hard Edge: A Word on Labels." *The Gazette* (Montreal), 24 october 1964.

R.[obillard], Y.[ves]. "La querelle de l'automatisme et de l'abstraction." *La Presse* (Montreal), 1 July 1967.

Russell, Paul. "Panorama of a Mature Scene." *The Globe Magazine* (Toronto), 17 August 1968, pp. 10–11.

Saint-Martin, Fernande. "L'Actuelle, une galerie pour la jeune peinture" (press release). *La Presse* (Montreal), 28 May 1955.

———. "Nouvelle Galerie de Peinture" (press release). *Le Devoir* (Montreal), 31 May 1955.

———. "Point de vue." Preface to *l'Exposition de peinture canadienne* (exhibition catalogue). Montreal: École des Hautes Études Commerciales, 1955.

———. "Révélations de l'Art Abstrait," in *Art Abstrait* (exhibition catalogue). Montreal: École des Beaux-Arts, 1959.

———. "Vers une nouvelle esthétique industrielle: l'Illusion Optique de l'Op Art." *Vie des Arts*, no. 39 (Summer 1965), pp. 28–31.

———. "Le Dynamisme des Plasticiens de Montréal." *Vie des Arts*, no. 44 (Autumn 1966), pp. 44–48, 92–93.

Sweeney, James Johnson. "Mondrian, the Dutch and De Stijl." *Art News*, vol. 50, no. 4 (June–July–August 1951), pp. 24–25, 62–64.

———: *Seven Montreal Painters: A Lyric Plasticism*, catalogue de l'exposition *Seven Montreal Artists*, Cambridge (Mass.), Massachusetts Institute of Technology, Hayden Gallery, 24 janvier – 18 février 1968; Washington D.C., Gallery of Modern art, 10 avril – 5 mai 1968.

Théberge (Pierre): *Guido Molinari*, catalogue de l'exposition *Canada: art d'aujourd'hui*, Paris, Musée National d'Art Moderne, 12 janvier – 18 février 1968 (exposition présentée ensuite à Rome, Lausanne et Bruxelles).

———: *Sans titre*, dans *Canada: Ulysse Comtois, Guido Molinari*, Venise, 22 juin – 20 octobre 1968, *XXIV*[e] *Exposition biennale internationale d'art* (catalogue d'exposition), p. 17–18.

———: *Les Plasticiens*, dans Townsend, William (éd.), *Canadian Art Today*, Studio International, Londres, 1970, p. 25–26.

Thériault (Normand): *New York a-t-il copié Montréal?*, dans *La Presse*, Montréal, 3 octobre 1970.

———: *Un débat académique*, dans *La Presse*, Montréal, 3 avril 1971 (préfaçant un texte de Yves Gaucher, et un texte de Molinari intitulé *Molinari: un geste social*).

Thompson (David): *A Canadian Scene: 3*, dans *Studio International*, t. 176, n° 906, décembre 1968, p. 241–244.

Toupin (Gilles): *Branle-bas au Musée d'Art Contemporain*, dans *La Presse*, Montréal, 16 décembre 1972.

Tousignant (Louis): *La fumisterie dans les arts* (lettre à la rédaction), dans *Le Droit*, Ottawa, 4 septembre 1968.

Welsh (Robert): *The Growing Influence of Piet Mondrian*, dans *Canadian Art*, t. XXIII, n° 1, livraison n° 100, janvier 1966, p. 44–49.

Welsh (Robert P.): *Mondrian in New York*, dans *Artscanada*, t. XXVIII, n° 6, livraison n° 162/163, décembre 1971 – janvier 1972, p. 127–129.

Teyssèdre, Bernard. "Guido Molinari, un point limite de l'abstraction chromatique, in *Guido Molinari* (exhibition catalogue). Paris: Canadian Cultural Centre, 1974.

———. *Espace dynamique*. Montreal: Galerie du Siècle, 1967. Mimeographed introduction and checklist.

———. "Seven Montreal Painters: A Lyric Plasticism." in *Seven Montreal Artists* (exhibition catalogue). Cambridge, Massachusetts: Massachusetts Institute of Technology (Hayden Gallery), 1968.

Théberge, Pierre. "Guido Molinari." in *Canada art d'aujourd'hui* (exhibition catalogue). Paris: Musée National d'Art Moderne, 1968. Catalogue translated and republished when exhibition shown in Rome, Lausanne, and Brussels.

———. [Untitled], in Brydon Smith, *Canada: Ulysse Comtois, Guido Molinari* (exhibition catalogue). Ottawa: The National Gallery of Canada, 1968, pp. 17–18.

———. "Les Plasticiens," in William Townsend, ed., *Canadian Art Today*. London: Studio International, 1970, pp. 25–26.

Thériault, Normand. "New York a-t-il copié Montréal?" *La Presse* (Montreal), 3 October 1970.

———. "Un débat académique." *La Presse* (Montreal), 3 April 1971. (Preface to an article by Yves Gaucher, and an article by Guido Molinari entitled "Molinari: un geste Social.")

Thompson, David. "A Canadian Scene: 3." *Studio International*, vol. 176, no. 906 (December 1968), pp. 241–244.

Toupin, Gilles. "Branle-bas au Musée d'art contemporain." *La Presse* (Montreal), 16 December 1972.

Tousignant, Louis. "La fumisterie dans les arts" (letter to the editor). *Le Droit* (Ottawa), 4 September 1968.

Welsh, Robert. "The Growing Influence of Piet Mondrian." *Canadian Art*, vol. XXIII, no. 1, issue no. 100 (January 1966), pp. 44–49.

———. "Mondrian in New York." *artscanada*, vol. XXVIII, no. 6, issue no. 162/163 (December 1971/January 1972), pp. 127–129.

Provenance des photographies

Couleurs
John Evans Photography, Ottawa, cat. nos 2, 4, 10, 11, 19, 20, 28, 33, 38, 42, 44, 47, 50; Galerie nationale du Canada, Ottawa, cat. nos 8, 14, 43

Noir et blanc
Galerie nationale du Canada, Ottawa, sauf les suivantes: Roloff Beny, Rome, fig. 12; Gérard Lavallée, Montréal, fig. 10; J. McGregor Grant, Ottawa, fig. 3; Williams Brothers, Vancouver, cat. no 17; photographes inconnus, couverture, fig. 4, 5, 6, 7, 8, 9

Collaborateurs

Graphisme: Eiko Emori
Impression: Pierre Des Marais Inc.

Photograph Sources

Colour
John Evans Photography, Ottawa: cat. nos 2, 4, 10, 11, 19, 20, 28, 33, 38, 42, 44, 47, 50; The National Gallery of Canada, Ottawa: cat. nos 8, 14, 43

Black and White
The National Gallery of Canada, Ottawa, with the following exceptions: Roloff Beny, Rome: fig. 12; Gérard Lavallée, Montreal: fig. 10; J. McGregor Grant, Ottawa: fig. 3; Williams Brothers, Vancouver: cat. no. 17; unknown photographers: cover, figs 4, 5, 6, 7, 8, 9

Credits

Design: Eiko Emori
Printing: Pierre Des Marais Inc.